rowohlts monographien
begründet von Kurt Kusenberg
herausgegeben
von Wolfgang Müller und Uwe Naumann

Martin Luther

mit Selbstzeugnissen
und Bilddokumenten
dargestellt von
Hanns Lilje

Rowohlt

Herausgeber: Kurt Kusenberg
Den Anhang besorgte Helmut Riege
Die Bibliographie wurde 2002 von Helmar Junghans neu bearbeitet
Umschlaggestaltung: Werner Rebhuhn
Vorderseite: Martin Luther. Gemälde von Lucas Cranach d. Ä.
Veste Coburg, Staatl. Sammlung (Mathias-Film, Stuttgart)
Rückseite: Luthers erste vollständige Bibelausgabe, 1534
(Foto Zierow, Heidelberg)

Veröffentlicht im Rowohlt Taschenbuch Verlag,
Reinbek bei Hamburg, April 1965
mit freundlicher Genehmigung des Furche Verlages, Hamburg
Alle Rechte an dieser Ausgabe vorbehalten
Gesetzt aus der Linotype-Aldus-Buchschrift
und der Palatino (D. Stempel AG)
Gesamtherstellung Clausen & Bosse, Leck
Printed in Germany
ISBN 13: 978 3 499 50098 5
ISBN 10: 3 499 50098 1

26. Auflage Juni 2006

Inhalt

In SILENCIO ET SPE ERIT   FORTITVDO VESTRA

DAS PHÄNOMEN

Die Einzigartigkeit und Unwiederholbarkeit des geschichtlichen Phänomens Martin Luther wird daran erkennbar, daß niemand auf der Welt deutsch spricht, schreibt oder liest, der nicht von Luthers geistigem Erbe angerührt wäre, welchem kirchlichen Bekenntnis er auch angehört. Denn wenn es auch eine Übertreibung wäre, Luther den Vater der modernen deutschen Schriftsprache zu nennen, so steht doch fest, daß Deutsch, nämlich die hochdeutsche Schriftsprache, ohne ihn nicht zu denken ist. Es ist fraglich, ob wir ohne ihn schon im Anfang des 16. Jahrhunderts eine gemeinsame Literatursprache bekommen hätten, die gleichermaßen in Ober- und Mitteldeutschland wie in Niederdeutschland verstanden wurde – das Lutherdeutsch seiner Bibelübersetzung. Hier war nicht nur ein Mittel der Verständigung, sondern eine gemeinsame geistige Worterfahrung gegeben. Denn während sich der Oberdeutsche und der Niederdeutsche durch das gesprochene Wort und ihre völlig verschiedenen Dialekte nicht ohne Schwierigkeiten gegenseitig verständlich machen konnten, während die Gelehrten untereinander Latein sprachen und schrieben, wie es auch Luther tat, wenn er sich als Fachgelehrter äußerte, lag hier eine unmittelbar zugängliche Worterfahrung vor. Es war keine künstliche, rational entworfene Sprache; wer die Schriften Luthers in den frühen Drucken von Anbeginn verfolgt, begleitet das Wachstum dieser Schriftsprache von Schritt zu Schritt. Luthers Sprache ist etwas schlechthin Lebendiges.

Diese Lebendigkeit ist von doppelter Art.

Ihr Ursprung ist in völlig eindeutiger Weise das gesprochene Wort. Je mehr Luthers geschichtliches Lebenswerk sich rundete, um so mehr trat in Erscheinung, daß er am stärksten in der Predigt war, in der unmittelbaren Anrede an lebendige Zuhörer. Aber schon in seinen Anfängen ist dieselbe Unmittelbarkeit erkennbar. Sie ist kein Ergebnis der Gelehrtenstube, sondern dem gesprochenen Wort abgelauscht, das aus der Tiefe und Breite des Volkslebens kam. Die unüberbietbar plastische Anschaulichkeit seiner Sprache entstammt der Atmosphäre des Marktes, der Bergstädte, des Bauern, der mit Vieh, dem Wachstum der Frucht auf den Feldern, den Jahreszeiten und den Landplagen zu tun hatte.

Es gibt aber noch ein anderes Geheimnis der Lebendigkeit seiner Sprache; das ist die Tatsache, daß er wohl keine Zeile geschrieben hat, die nicht Ausdruck seiner unmittelbaren Glaubenserkenntnis war. In seiner stürmischen, manchmal polternden Polemik sind diese letzten, tiefsten Glaubensanliegen nicht immer leicht erkennbar; aber man kann doch ohne Mühe begreifen, daß dieses Deutsch seine

Martin Luther, 1529. Gemälde von Lucas Cranach d. Ä.
Bretten, Melanchthon-Museum

Sprachgewalt der Tatsache verdankte, daß es, obwohl nach dem Sinn des Volkes gebildet, nicht grobkörnig über materielle Alltagsdinge handelte, sondern die innerlichsten und sublimsten geistigen Vorgänge dem Mann auf der Straße klarmachen wollte, nämlich wie unser Leben mit der Welt Gottes zusammenhängt und was göttliche Gnade und göttlicher Friede für unsere Existenz bedeuten, was die Bibel und besonders das Neue Testament darüber sagt und wie dies alles mit unserer menschlichen Existenz zusammenhängt.

Zu diesen beiden grundlegenden Quellen von Luthers Sprachgewalt kommt schließlich noch ein anderer wesentlicher Zug, seine pädagogische Kraft. Weil Martin Luther im Grunde nicht an gelehrten Abhandlungen um der Gelehrsamkeit willen interessiert war, weil er nicht aus der Freude am philologischen Spiel übersetzte, was andere vielleicht schöner und eleganter auf lateinisch gesagt hatten, weil er nicht an theologischen Spitzfindigkeiten Freude hatte, darum war seine Sprache von der Gewalt unmittelbarer menschlicher Anrede; er hat eine geradezu geniale Kraft der pädagogischen Verdeutlichung seiner Grunderkenntnisse.

Aus einem wichtigen Grunde aber wird seine Sprache niemals zur leeren Formel: Der mächtige Strom seiner Gedanken reißt nie ab. Die Fülle und Kraft seiner geistigen Produktivität ist gerade in den größten Kampfzeiten schier unglaublich. Nach gut bezeugter Überlieferung ist manche Schrift Luthers so entstanden, daß laufend die noch feuchten Manuskriptblätter einzeln in die Druckerei seines Freundes Hans Lufft wanderten; die bedrängende «Fülle der Gesichte» bediente sich in immer neuen kraftvollen, einprägsamen Bildern dieses Instrumentes der Sprache als des besten, wertvollsten geistigen Mediums des Glaubens.

Das 16. Jahrhundert, diese Wasserscheide zur neueren Geschichte, ist mehr als die Reformation; und die Reformation ist mehr als Martin Luther. Woran liegt es, daß seine Gestalt so überragend im Vordergrund steht?

Dafür ist zuerst ein äußerer Grund geltend zu machen: Er steht am Anfang, er ist der Beginner des großen Werkes. Das hebt ihn aus der Reihe wahrhaft bedeutender und großer Gestalten, mit denen das 16. Jahrhundert gesegnet ist, heraus. Zwingli hat zwar seine reformatorischen Erkenntnisse ohne Luther gefunden, aber sich doch nachher seinen Einflüssen weit geöffnet, wenngleich er sie nicht völlig übernahm. Die anderen aber sind ohne ihn gar nicht einmal denkbar, Bucer, Blaurer, Bugenhagen, auch nicht der bei weitem feinste Kopf der Reformation, der größte Einzelne, den Luther zum Gefolgsmann und warm verehrten Freunde gehabt hat, Melanchthon; auch nicht der, dessen hohe systematische und organisatorische Begabung das Werk der Reformation in Bezirke vortreiben sollte, die Luther nie erreicht hätte, Calvin. Keiner von ihnen hat sich für etwas anderes als Luthers Schüler gehalten.

Aber es ist noch mehr als dieser geschichtliche Vorrang. Es ist ein in die Tiefe reichender sachlicher Grund, der Luther aus dieser Reihe heraushebt. Man kann ihn erkennen, wenn man noch einmal die Gestalten der Reformation nach einer anderen Richtung vergleicht. Die kühlen großen Denker des Humanismus stehen voran, etwa Erasmus oder Thomas More; aber sie bleiben bei allem Ernste ihres Denkens und Wollens doch eben Aristokraten des Geistes; auch des Erasmus europäischer Ruhm war nichts als Gelehrtenruhm. Und nach ihm folgen Männer der Tat, Calvin und – um der Deutlichkeit des Vergleiches willen sei auch er hier erwähnt – Ignatius von Loyola. Sie sind die großen Gestalter, die ihr Lebenswerk in geschichtlich wirksame Form geprägt haben.

Es ist ohne weiteres deutlich, daß Luther weder das eine noch das andere war, weder bloßer Denker noch Organisator. Aber sein Leben war der Boden, auf dem die grundlegende Entscheidung der Reformation durchgekämpft wurde. In dem, was er durchlitt, durchbetete, durchkämpfte und im Glauben errang, wurde das sichtbar, worauf das hohe Werk der Humanisten im Grunde ausgerichtet war und was das Werk des großen Organisators Calvin ausprägte. Man kann es nicht anders ausdrücken als so, daß Luthers Glaubenskampf eine stellvertretende Bedeutung besaß. Er hatte weder ein geistesgeschichtliches Programm noch weltumspannende organisatorische Pläne; sondern er war nur er selbst, ging seinen Weg, focht die ihm auferlegte Glaubensentscheidung durch. Daran liegt es, daß er so persönlich ist, daß man sein Werk losgelöst von seinem persönlichen Lebensgang nicht würdigen kann, daß er lebendiger und unmittelbarer ist als die Systematiker und Organisatoren. Es hat gar keinen Sinn, hier von Schwäche oder Größe zu reden, von Grenze oder Bedeutsamkeit; dieser rein persönliche Weg w a r sein Beitrag zur Reformation. In diesem Sinne war er Werkzeug Gottes in der Geschichte.

D a r u m aber ist es unerläßlich, seine Entwicklung ins Auge zu fassen, nicht auf die etwa bloßzulegenden psychologischen Geheimnisse, sondern auf die beispielhafte Bedeutung seines Lebensganges hin, in dem die geschichtlichen Entscheidungen fallen, die nicht nur die Reformation, sondern darüber hinaus einen ganzen Abschnitt abendländischer Geschichte bestimmen und tragen sollten.

Es ist dann freilich kein Wunder, wenn der Unterschied eines solchen Lebensganges zu den zahlreichen politischen Größen seiner Zeit sehr deutlich hervortritt. Was für ein Unterschied zu der Welt, in der sich Franz von Frankreich oder Heinrich von England bewegen! Sie und ihresgleichen haben ein Leben lang in den großen Ausmaßen, die ihre Stellung ihnen erlaubte, sich selbst gesucht, nicht einmal das Wohl ihrer Völker, sondern im unverhülltesten Egoismus sich selbst. Und viele andere im Raum der Kirche, in der Welt der Universitäten sind mitgezogen im Strome, der sie zu den lockenden Ufern ihres Ehrgeizes und Geltungstriebes trug. Luther unterscheidet sich von ihnen allen grundlegend dadurch, daß er gelitten hat. Das Bild des heldischen Kämpfers Luther ist grundfalsch, wenn es im Sinne des vordergründigen Heroismus des ausgehenden 19. Jahrhunderts gemeint ist; im Stil dieses bürgerlichen Denkens war Luther kein

«Held». Darin, daß er um Gott und darum auch mit Tod und Teufel rang, liegt seine beispielhafte und zugleich auch seine stellvertretende Bedeutung. Wenn im Verlauf seines persönlichen Ringens dieser Kampf sich zu einer weltgeschichtlichen Bedeutung auswuchs, der alle Mächte des geschichtlichen Lebens einbezog und schließlich die Grundlagen Europas änderte, so ist das niemals von ihm programmatisch gewollt, sondern über ihn als ein geschichtliches Werkzeug Gottes hereingebrochen. Dieses Geheimnis der göttlichen Geschichtsgestaltung hat er selbst am besten mit dem drastischen Bilde ausgedrückt: Gott habe ihn in das alles hineingeführt *wie einen blinden Gaul.* Diese Wendung ist Ausdruck der Ehrerbietung vor einem Geheimnis des göttlichen Willens. Luther selbst hat es durch unzählige kraftvolle Äußerungen belegt, daß er den grundlegenden Unterschied zwischen dem, was die Renaissance unter einem großen Mann verstand, und dem göttlichen Lebensauftrag, der ihn zu einem Werkzeug des göttlichen Willens machte, sehr wohl kannte. Er sagte selbst: *Zum ersten bitte ich, man wolle meines Namens geschweigen und sich nicht lutherisch, sondern Christen heißen. Was ist Luther? Ist doch die Lehre nicht meine. So bin ich für niemand gekreuzigt. St. Paulus in Kor. 3, 4, 5, wollte nicht leiden, daß die Christen sich sollen heißen paulinisch oder petrisch, sondern Christen. Was kann denn ich armer, stinkender Madensack dazu, da man die Kinder Christi sollte mit meinem heillosen Namen nennen? Nicht also, lieben Freunde, laßt uns tilgen die parteiischen Namen und Christen heißen, des Lehre wir haben.* Also nicht auf Luther kommt es an, sondern auf das Evangelium, nicht auf das historische (museale!) Andenken an einen Menschen, sondern auf die Gegenwart Christi.

Zu den schwierigsten, aber auch reizvollsten Aufgaben der Darstellung Luthers gehört die Entfaltung des paradoxen Umstandes, daß er auf der einen Seite in einer ganz besonderen, exemplarischen Weise seine Zeit repräsentiert – «er fühlt der Zeiten ungeheuren Bruch» – und auf der anderen Seite in einer fast einzigartigen Weise ein Einzelner ist. Es gibt nicht viel Parallelen zu diesem Phänomen Martin Luther, dessen persönlichste Erfahrung als die eines Einzelnen über Jahrhunderte hinweg weiter und nachhaltiger gewirkt hat als die Tat von Königen, Feldherren, Staatsmännern, Geisteshelden, Erfindern oder Wirtschaftsmagnaten. Wenn wir Luther recht verstehen wollen, müssen wir beide Aspekte seines Erscheinens besonders erwägen: die faszinierende Geschichtsepoche des frühen 16. Jahrhunderts und die geradezu explosive Wirkkraft entfaltende Gestalt Luthers.

DIE WELTGESCHICHTLICHE SZENERIE

Das politische Bild der Welt

Wie war die Zeit beschaffen, auf die die Botschaft Luthers traf?

Die wichtigste Konzeption des frühen hohen Mittelalters, die Idee von Kaiser und Reich, war im Begriff zu verblassen. Mit dem Ende des staufischen Kaiserhauses hatte sie ihren Glanz verloren, und an ihre Stelle hatte sich das ontologische Naturrecht der Hochscholastik geschoben. Immer stärker zeichneten sich die heraufkommenden europäischen Nationalstaaten ab, zuerst in der Erstarkung Frankreichs und Englands und dann in den Souveränitätsansprüchen einer Vielzahl anderer Staatsgebilde, Stadtstaaten und Republiken.

Aber auch die andere große Konzeption des Abendlandes war blasser und inhaltsleerer geworden, das Papsttum. Das Babylonische

Das älteste, öffentlich erschienene Bildnis Luthers (Titelbild zu «Ein Sermon, gepredigt zu Leipzigk uffm Schloß am tag Petri und Pauli ym xviiii Jahr»)

Franz I., König von Frankreich. Gemälde von Jean Clouet. Paris, Louvre

ETATIS · · SVÆ · XLIX ·

Heinrich VIII., König von England. Gemälde von Hans Holbein d. J.
Rom, Galleria Nazionale

Suleiman I. der Große, Kupferstich von Melchior Lorch

Exil, das den Statthalter Christi zwang, nach Avignon zu gehen, hat ideologisch der Geltung des Papsttums im Grunde schweren Schaden getan. Wenn es überhaupt möglich war, daß der geographische Ort für den Sitz des Nachfolgers Petri verschoben werden konnte, dann war auch seine universale geistige Stellung in Gefahr. Das Schisma hatte die innerkirchlichen Schwierigkeiten unübersehbar sichtbar werden lassen; die europäische Staatenwelt hatte begonnen, ihre besondere nationale Souveränität gegen den Universalismus des Papsttums zu verteidigen.

In dieser gesamten Entwicklung war die deutsche nur eine Randerscheinung und dennoch ein sehr deutliches Beispiel für diesen Emanzipationsprozeß, in dessen Verlauf die Zentralgewalt des deutschen Königtums und daneben auch die universale Geltung des deutschen Kaisertums sich aufzulösen begannen.

Es ist ein eigenartiges Spiel der Geschichte, daß drei Herrscher von nicht eben gewöhnlicher Erscheinung gleichzeitig und aufs engste verbunden die europäische Bühne betreten, in denen dieses sich wandelnde geschichtliche Kräftespiel personifiziert wird: Karl V. von Habsburg, der gravitätische, fast immer beherrschte Kaiser, Franz I., der fast immer unbeherrschte, glänzende König von Frankreich, der einer seiner größten Herrscher hätte werden können, wenn er eben nicht so unbeherrscht und glänzend gewesen wäre, und schließlich Heinrich VIII. von England, der vitalste von ihnen, dessen Vorstellungen von Königtum und Politik, von der Kirche und vom heiligen Ehestand alles Glaubhafte übersteigen.

Endlich fügt sich der große, bedrohliche Außenseiter, der türkische Großsultan Suleiman I., mit seiner Regierungszeit (1520–1566) auch so weit in das Bild, daß die große europäische Politik jener Jahrzehnte fast völlig, von den wechselnden Päpsten abgesehen, von den gleichen Herrschergestalten getragen wird.

Die italienische Renaissance hatte mit dem Interesse an der allseitigen Ausbildung der Persönlichkeit, ihren Regungen und Charakterzügen, auch das Interesse am menschlichen Porträt geweckt, so daß in fast allen Ländern Europas die Malerei auf dem Gebiet der Bildniskunst in der Wende vom 15. zum 16. Jahrhundert einen kaum wieder erreichten Höhepunkt gewann. So erklärt es sich, daß wir von den obengenannten Herrschern Bildnisse besitzen, die von den führenden Malern der Zeit stammen und die mit einem hohen Maß von Charakterisierungskunst und mit äußerster Prägnanz die Eigenart ihrer Persönlichkeiten, Stärken und Schwächen festhalten. Wir können uns also unter denkbar günstigen Voraussetzungen ein Bild von der äußeren Erscheinung und inneren Ausstrahlung dieser Herrscher machen.

Ein etwas erstaunlicher Charakterzug ist ihnen allen dreien gemeinsam: Jeder von ihnen hat eine beträchtliche innere Unsicherheit zu überwinden, als er die Regierung antritt. Aber man darf nicht vergessen, daß auf jeden dieser Herrscher, die fast noch im Jünglingsalter standen, Aufgaben warteten, die jedes ihrer Länder im Innern wie im Äußeren entscheidenden Wendepunkten ihrer Geschichte zuführen sollten.

Franz I. war zweifellos ein geradezu kühner Krieger und Stratege,

Kaiser Karl V., Gemälde von Christoph Amberger, 1532

und einige seiner ersten Überraschungssiege haben ihm europäischen Ruhm und beträchtliche Anfangserfolge in seinen jahrelangen Kämpfen gegen Karl eingetragen. Aber in seinen eigentlichen Regierungsgeschäften war er so unsicher, daß er mit großer Dankbarkeit die stille, aber bestimmte Führung der Diane de Poitiers annahm. Diese frauliche Frau, deren Bildnis Clouet hinterlassen hat, trug ihm Verständnis und Ratschlag entgegen, mit deren Hilfe er seine königlichen Entscheidungen fand; und wenn sie dabei ihren Verwandten und zahlreichen Freunden viele gute Dienste leistete, so empfand das damals kein Mensch als ungebührlich.

Unsicher im höchsten Grade war Heinrich von England. Es war eigentlich seine ganze Regierungszeit hindurch so, daß, während er lärmend mit scheinbar tyrannischem Absolutismus die geschichtliche Bühne erfüllte, hinter den Kulissen jene zielbewußten Kreaturen am Werke waren, die er zumeist selbst, fast immer aus unbedeutenderen Positionen, emporgehoben hatte und die mühelos mit ihm spielten, solange sie gewisse psychologische Regeln des Spiels richtig zu befolgen wußten. Mit dem Augenblick, wo sie hier ihren Fehler machten, fielen sie meist ebenso erbarmungslos, wie sie viele andere vor ihnen zu Fall gebracht hatten. Aber irgend jemand beherrschte Heinrich VIII. immer; er ist lebenslang nur Figur gewesen.

Auch Karl war unsicher. Es war eine habsburgische Charaktereigentümlichkeit, die in den späteren Habsburgern, besonders den spanischen, sich bis zur Abnormität steigern sollte. Aber Karl hat, wirksamer noch als sein Sohn und Nachfolger auf dem spanischen Thron, Philipp II., diese psychische Schwäche auf das trefflichste zu meistern gewußt: Er baute um seine Unsicherheit das ansehnliche Schutzgehäuse seiner kaiserlichen Würde auf. Seine gemessene Vornehmheit, die der Grundzug jener von ihm so geschätzten höfischen Ordnung Burgunds war, die sich dann zu jenem überfeinerten Kunstwerk des spanischen Hofzeremoniells weiterbilden sollte, war im Grunde auch der ihm angemessene Lebensstil. Die feierliche Würde erlaubte ihm, alle raschen Entscheidungen zu vermeiden, es kam nichts Überstürztes in dieser Atmosphäre auf; und da er sich immer wieder, auch nach schweren Hemmungen, zu wirklichen Entschlüssen durchrang, die er dann allerdings mit bemerkenswerter Zähigkeit festzuhalten pflegte (wie es die Art der Leute ist, die sich schwer entscheiden können), hat er wirklich das Bild einer Herrschergestalt von unleugbarer kaiserlicher Würde geboten.

Was aber noch viel wesentlicher ist, weil es nicht seine private, sondern seine fürstliche Charakterhaltung betrifft: Er hatte noch ein Bewußtsein davon, was ein Fürstenwort wert sein sollte. Es liegt eine Welt zwischen dem englischen Willkürherrscher, der nach Laune sein Wort gibt und bricht, und dem jungen Kaiser, der in Worms die sehr einleuchtende und realpolitische Mahnung ablehnt, Luther trotz des kaiserlichen Geleitbriefes gleich beseitigen zu lassen; er wollte nicht wie sein Vorgänger Sigismund in Konstanz erröten müssen, soll er gesagt haben. Ferner spricht sehr für ihn, daß gegen den Willen Herzog Albrechts das Grab Luthers auf ausdrücklichen Befehl des Kaisers unversehrt blieb.

Groß war er aber auch – gerade im Vergleich mit den beiden anderen – seinem politischen Format nach. Während Franz eigentlich immer an der Spitze Frankreichs stand wie ein Kavalier und Fähnleinführer, der mit seinem Draufgängertum oft genug Glück und nicht zuletzt auch peinlich Unglück hatte, und während Heinrich VIII. sein Königtum betrieb wie ein großes, ihm gehörendes Privatunternehmen, das sich, wenn man nur nicht zu kleinlich in der Wahl der Mittel war, als einträglich erwies (er war einer der reichsten Fürsten seiner Zeit), findet man bei Karl wirklich etwas von dem Bewußtsein, daß das Kaisertum ein Amt ist, ein vor der Geschichte und vor Gott zu verwaltendes Amt.

Es war ihm durch die konkrete Aufgabe nahegelegt, in großen Linien zu denken. Daß in seinem Reiche die Sonne nicht unterging, war ein stolzes, aber wahres Wort. Portugal und Spanien waren die beiden europäischen Mächte, für die das neue geographische Weltbild, der Eintritt der Neuen Welt in die Geschichte, eine politische Realität bedeutete. Davon wird noch zu reden sein. Aber auch wenn man zunächst nur an das Abendland denkt, wird sofort deutlich, wieviel größer der geschichtliche Auftrag ist, den Karl übernommen hat, im Vergleich zu den anderen. Heinrich herrschte über ganze vier Millionen, eine rustikale, selbstzufriedene Gesellschaft mit einem recht begrenzten Horizont, die in fast allen wesentlichen Lebensäußerungen das Mittelalter noch keineswegs abgestreift hatte; von einer kleinen blühenden Schicht von Humanisten abgesehen, die zumeist mit Oxford und Cambridge verknüpft war und die über ein wirklich europäisches Bewußtsein verfügte, war das übrige England nichts weiter als der nordwestliche Rand des Abendlandes, klimatisch und geistig in Nebel gehüllt.

Schon anders war Frankreich mit seinen vierzehn Millionen einbezogen in die geistige, kulturelle und politische Geschichte Europas. Aber wenngleich der französische König über seine drei Grenzen, nach Norden zu den Niederlanden, im Osten nach Burgund und vor allem im Südosten nach Italien, ständig handelnd eingriff in die europäische Geschichte – was war schließlich sein Königsleben, verglichen mit Karls riesigen, weitgespannten Aufgaben? Das jahrzehntelange Ringen mit Franz um die Hegemonie in Europa zwang Karl V., seine Schlachtfelder im flandrischen oder brabantischen Norden zu suchen oder in Burgund oder, vor allem, in Italien. Aber davor lagen entscheidende Kriege mit Spanien selbst, Kämpfe um die innere Einheit des großspanischen Raumes; danach kühne, wirklich weitreichende Kämpfe mit den mohammedanischen Seeräuberstaaten in Nordafrika – einige der glänzendsten Siege Karls sind an der algerischen Küste errungen; dazu kamen die ständigen kriegerischen Auseinandersetzungen mit der immer ernster werdenden Türkengefahr im Osten des Reiches – wann hätte das drohende Pochen dieser östlichen Feinde des 16. Jahrhunderts an den Toren des Reiches jemals in England einen Menschen zum Aufhorchen gebracht? Hier aber war eine der ernsthaften politischen und militärischen Aufgaben, ungleich größer als die Erbfolgekriege und andere Raubzüge des europäischen Durchschnittsmonarchen! Und dann die Auseinandersetzung mit der Reformation. Für Karl war sie unmittelbarer Auftrag aus seinem hohen Amte, doppelt verpflichtend für ihn, der die Autorität seiner politischen Macht ebenso verteidigen wollte wie die bedrohte Einheit der Christenheit, deren höchstes weltliches Amt er bekleidete.

Denn das muß man nun sehr deutlich machen, wenngleich es dem modernen Beobachter durchweg die größte Mühe bereitet, es zu begreifen: In Karl lebte die Vorstellung wieder auf, daß der Kaiser das höchste weltliche Amt der Christenheit innehabe und darum auch eine Aufgabe vor der und für die Christenheit zu lösen habe.

Die Tragik, die über Werk und Leben dieses Herrschers liegt, besteht darin, daß vor seinem Innern noch einmal die Einheit Europas, die Einheit der Christenheit aufstieg und daß er, obwohl von zögerndem Temperament, schwer von Entschluß, es auf sich nahm, einer geschichtlichen Mission gläubig zu dienen und ihr das Blut seiner Völker zu opfern, obwohl diese Idee sich zu überleben begann.

Es war ein symbolischer Augenblick, als Karl V. 1556 in Brüssel vor die versammelten Fürsten trat, um ihnen seinen Abdankungsbeschluß mitzuteilen: Während er hereinschritt, stützte er sich auf die Schulter des jungen Prinzen von Oranien-Nassau, der bald danach die Niederlande aus dem habsburgischen Staatsverbande heraus- und in eine völlig neue Epoche politischer und religiöser Unabhängigkeit hineinführen sollte – eine versinkende und eine heraufziehende Zeit in zwei Gestalten so nahe beieinander!

In dem großen Auflösungsprozeß des Mittelalters wurden vom Zerfall zuerst die politischen Kräfte erfaßt. Die führende Kraft und Idee der entscheidenden Ordnungsmacht Europas, das deutsche Kaisertum, sanken nach und nach dahin. Es war ein politisches System von einer großartigen geistigen Konzeption, dem nicht nur Deutsche, sondern auch Böhmen, Italiener, Niederländer, Dänen angehört hatten. Ein neues Gleichgewicht der Kräfte bildete sich zwischen den werdenden Nationalstaaten, den zahllosen kleineren Renaissancefürstentümern und Stadtrepubliken Italiens und dem einer gleichen säkularisierten Autonomie zustrebenden Kirchenstaat. Das war das geschichtliche Spiel der Kräfte, das sich in Kämpfen, Bündnissen, Friedensschlüssen, gebrochenen Verträgen und neuen Kriegen vollzog.

Nebenher ist ein tiefgehender, wirtschaftlicher und soziologischer Strukturwandel des alten mittelalterlichen Gesellschaftsaufbaus zu beobachten. Das Lehenswesen verliert seinen Sinn und seine gestaltende Kraft. Aus den freien Bürgern der Städte, den Patriziergeschlechtern, den Angehörigen der Zünfte, den Beamten der erstarkenden Territorial- und Stadtgewalten entsteht eine neue Gesellschaft und ringt um die politische Führung. Neue Leitbilder des Menschen werden erkennbar, die nicht mehr dem hierarchischen Aufbau der mittelalterlichen Gesellschaft entnommen sind. Allen voran schreitet Italien. Auf dem Boden des italienischen Stadtstaates sind zuerst die neuen politischen Grundsätze begriffen und formuliert worden. Das berühmteste Buch jener Art ist bekanntlich Machiavellis «Il Principe». Man ist immer wieder erstaunt, wie früh hier ein klarer, ganz unsentimentaler Kopf die Gesetze des modernen Machtstaates begriffen und sie völlig unabhängig von traditionellen christlichen – oder anderen – Vorstellungen kühl und nüchtern, glasklar und durchsichtig formuliert hat.

Die Klarheit und staatsmännische Kultur der frühen italienischen Stadtrepubliken sucht man bei jenen Gestalten vergeblich, die späterhin Träger der politischen Entwicklung Europas werden sollten, bei den Fürsten. Aber wenn alles bei ihnen auch viel weniger durchdacht und daher plumper erscheint, treten sie doch im Anfang des 16. Jahrhunderts schon in einer ganz bemerkenswerten Weise hervor. Wir sind wirklich auf dem Wege zum Nationalstaat. Es ist ganz natürlich, daß eine derartige, Jahrhunderte umspannende Entwicklung den Beteiligten in sehr unterschiedlicher Klarheit zum Bewußtsein kommt.

Träger dieser Entwicklung konnte Italien mit seinen Stadtstaaten nicht sein. Ihm fehlte die übergreifende politische Einheit. Einzelne überragende Köpfe haben das gesehen, so der sehr unpäpstliche Papst Julius II., der sich mehr als irgendein Italiener seiner Zeit für die Einheit Italiens einsetzte.

Aber was Italien nicht vermochte, das war in sehr bedeutsamen Anfängen sowohl in Frankreich wie in England vorhanden. Die beiden mehrfach erwähnten Herrscher haben – ohne es im Grunde klar zu begreifen – den ersten wesentlichen Grundstein zur kommenden europäischen Geltung ihrer beiden Staaten und zu ihrer Fortentwicklung zum modernen Nationalstaat gelegt. Es blieb noch genügend für die Nachfolger zu tun übrig: Was Franz I. begann, hat Heinrich IV. fortgesetzt und haben erst Richelieu und Ludwig XIV. beendet. Und die ersten Anfänge Heinrichs VIII. sind durch Elizabeth und Cromwell so weitergeführt, daß von da an Englands weltbeherrschende Stellung möglich wurde. Aber die Anfänge waren gemacht, höchst bedeutsame Anfänge.

Daß die deutschen Landesfürsten von dieser Ent-

Das politische Kartenspiel in Italien. Spottbild, 15. Jahrhundert. Paris, Bibliothèque Nationale

wicklung nicht unberührt bleiben konnten, ist ohne weiteres einleuch-
tend. Dabei haben sie – soviel auch von ihrer Schuld zu reden sein
wird – gegenüber dem Reichsgedanken eine erstaunliche Treue an den
Tag gelegt. Man sollte, um das recht zu würdigen, die bekannte Tatsache, daß 1806 das Heilige Römische Reich Deutscher Nation an
Altersschwäche starb, einmal anders herum ansehen lernen: Es ist
erstaunlich, daß der Reichsgedanke trotz aller fortdauernden Schwächen sich so lange als autoritative Bindung erwiesen hat, bis es wirklich nicht mehr möglich war, ihn aufrechtzuerhalten.

Man erkennt nun in jenen Anfängen des Nationalstaates ganz
deutlich, daß sich die schwere politische Krise des Reichsgedankens,

6 Le Roy d'Espagne
7 Le Roy d'Angleterre
8 Le Duc de Wirtemberg
9 Le Comte Palatin.
10 le Seigneur Jean Jacques Trivulce.
11 Le Duc de Milan le mort
12 Le Duc de Lorraine
13 Le Duc de Savoie
14 Le Marquis de Montferrat
15 Dame Marguerite.

IL PRINCIPE DI NICOLÒ MACHIA
VELLI SEGRETARIO, ET
CITTADINO FIO.
RENTINO.

QVANTE SIANO LE SPETIE DE PRIN
cipati, et con quali modi si acquistino   Cap. I.

VTTILI STATI, Tutti
è Dominij che hanno hauuto, et hanno
Imperio sopra g'i huomini so no stati, et
sono ò Repu. o Principati. E Principati sono o hereditary, de quali el san
gue del loro Signor'ne sia stato logo tē
po Principe o e sonno nuoui, e nuoui
ò sonno nuoui tutti, come fu Milano
a Francesco Sforza, ò sonno come mem
bra aggiūti alo stato hereditario del'Principe che li acquista, come e il
Regno di Napoli al Re de Spagna, sonno questi dominy cosi acquistati ò còsueti à uiuere sotto un'Principe o usi ad esser'liberi, et acquistou
si ò con l'armi d'altri ò con proprie, ò per Fortuna, ò per Virtu.

DE E PRINCIPATI. HEREDITARII
Cap.   II.

O LASCERO indrieto il ragionare delle Repub.
perche altra uolta ne ragionai à longo, uolteromi solo al Prin
cipato, et andrò nel ritessere queste orditure dispra disputando come questi Principati si possono gouernare, et mantenere. Di
co adunca che neli stati hereditary, et assuefatti ai' sangue dellor'Prin
cipe sono assai minori difficulta à matenerli che ne nuoui. Perche basta
solo non trapassar l'ordine de' suoi antenati, et di poi temporeggiare
con li accidenti in modo che se tal'Principe e di ord naria maustria sem
pre si manterrà ne lo suo stato se non e una ordinaria, et eccessiua forza
che ne lo priui, et priuato che ne sia, quantunche di sinistro habbia lo

A

«Il Principe» in der Ausgabe von 1532

der Zerfall der politischen Einheit des Abendlandes und die Herausbildung eines neuen politischen Systems in Europa unabhängig
von der Reformation vollzogen hat. Für diese Seite des Verfalls der

europäischen Einheit kann man also nicht einfach die Reformation verantwortlich machen.

Das ist deshalb so wichtig, weil diese Entwicklung durchaus nicht nur «politisch» im äußeren, technischen Sinn des Wortes war, sondern auch, weil es eine folgenschwere geistige Bedeutung hatte.

Der mittelalterliche Reichsgedanke schloß die strenge Parallelität von geistlicher und weltlicher Gewalt ein. Kaiser und Papst gehörten zueinander wie Sonne und Mond. Daß darüber erheblich gestritten worden ist, wer die Sonne und wer den Mond zu repräsentieren habe, ist zu bekannt, als daß es angesprochen werden müßte. Aber daß sie zueinander gehörten, ist nie übersehen worden. Die aus dem Geschichtsdenken des späten 19. Jahrhunderts geborene Vorstellung, der Kaiser hätte sich nie um den Papst kümmern und grundsätzlich die Kirche beiseite lassen sollen, ist eine ganz außerordentlich plumpe Übertragung von – nicht einmal sehr hochstehenden – modernen Geschichtsurteilen auf eine völlig andere Epoche. Dies Nebeneinander von Kaiser und Papst – wie auch immer das tatsächliche politische Kräfteverhältnis jeweils gestaltet wurde – war eben Ausdruck der völligen inneren Einheit des Abendlandes und gab dem Kaisertum als dem höchsten Herrscher seine metaphysische Weihe. Das Amt des Kaisers war göttliches Amt, darin bestand seine Würde und Autorität.

Es war nun sehr folgenreich, daß dieses selbstverständliche Nebeneinander sich im ausgehenden Mittelalter langsam zu lösen begann. Damit war gleichfalls die metaphysische Weihe des Kaisertums bedroht. Was dieses Auseinandertreten bedeutet, sieht man sehr deutlich an einer neuen Fragestellung, die jetzt aufkommt und die nächsten Jahrzehnte und Jahrhunderte beherrscht. Das ist die Frage nach dem göttlichen Recht der Könige. Diese Diskussion verdient ganz besondere Beachtung. Das Thema, das Machiavelli angeschlagen hatte, wird nun in immer zunehmendem Maße grundsätzlich und theologisch durchdacht. Aber es ist schon erkennbar, daß die Autorität der Herrschenden nicht mehr ihren selbstverständlichen Platz in einer metaphysischen Ordnung hat, sondern zum Problem geworden ist. Der völlig verweltlichte Absolutismus wird zwei Jahrhunderte später das Erbe antreten.

An einer anderen, einstmals sehr mächtigen Gruppe kann man diesen Wandel und das Heraufziehen einer neuen politischen Weltordnung besonders klar erkennen: das sind die R i t t e r. Ihr Schicksal ist wirklich tragisch, denn diese vormals glänzende Schicht hört einfach sang- und klanglos auf. In der neu heraufkommenden Welt ist kein Platz mehr für sie. Einen würdigen Abschluß bilden solche Gestalten wie der große Landsknechtsführer Georg von Frundsberg – aber eben als militärische Führer, nicht mehr als Ritter mit einem ganz bestimmten Ethos, das über rein Wehrhaftes weit hinausging. Doch Gestalten wie Franz von Sickingen und Ulrich von Hutten sind eigentlich schon lebendige Anachronismen; Sickingens laute Appelle machen ja nur vor aller Welt sichtbar, daß da nichts mehr ist, wo er einen Ruf erhebt, und Hutten macht das Ende seines und jeglichen Rittertums dadurch noch besonders symbolkräftig, daß er in den modernsten Beruf hinüberwandert und Journalist wird – mit allen Vorzügen und sehr offenkundigen schlechten Seiten dieses Berufs. Was von dem Ideal der Ritter übrigblieb, wird auf besondere Standesvorrechte eingeschränkt; die wirklichen Rechte verschwinden.

Nicht durch einen Wandel der politischen Ideologie aber ist das Rittertum zugrunde gegangen, sondern im wesentlichen durch wirtschaftliche und soziale Verschiebungen.

Der wesentliche Faktor war der grundlegende Wandel der w i r t - s c h a f t l i c h e n Ordnung durch die neue Bedeutung, die das Geld und die Geldwirtschaft gewannen. Für die Grundherren war es eine peinliche Tatsache, daß seit dem ausgehenden 15. Jahrhundert der Boden nicht mehr die entscheidende Form von Besitz war; ihm machte der bewegliche Besitz sehr spürbare Konkurrenz: das Geld. Die schlimmste Auswirkung der Geldwirtschaft, die eine schwere Wirtschaftskrise heraufbeschwor, sollte freilich erst in der zweiten Hälfte des 16. Jahrhunderts spürbar werden, als das spanische Gold und die übrigen Edelmetalle aus der Neuen Welt anfingen zu wirken. In der dann einsetzenden grundlegenden Wandlung der europäischen Wirtschaft, die nicht ohne schwere Krisen und Erschütterungen vor sich ging, verloren die Ritter die Bedeutung, und ihre glücklicheren Konkurrenten, die Städte, nahmen ihren Platz ein.

Hinter diesen politischen Mächten aber, den alten, absterbenden und den sich neu formierenden, taucht eine neue wesentliche Größe auf, langsam erst und noch undeutlich in ihrer Physiognomie, aber doch erkennbar und in immer häufigeren Stößen je und dann hervorbrechend: das V o l k.

Freilich ist ihre äußere, politische Gestalt noch lange sehr verworren; ein fast modern anmutendes Nationalbewußtsein scheint einen Augenblick lang erkennbar, um dann doch wieder in unverwandelt mittelalterliche Vorstellungen unterzutauchen. Zwar teilt man sich auf dem Konstanzer Konzil (1415) schon nach «nationes», um das Übergewicht der Italiener unwirksam zu machen; aber natürlich ist das noch weit entfernt von dem Nationalitätsbegriff des 19. Jahrhunderts. Als die Hussitenstreitigkeiten in Prag ausbrechen, stimmen die in Prag ansässigen Deutschen selbstverständlich mit den Tschechen, wie umgekehrt die anders gesinnten Böhmen mit den hussitisch denkenden Reichsdeutschen gehen. Daß die sehr begehrten deutschen Söldnerheere, vor allem die Reiterei und die Landsknechte, sich auf zwei gegnerischen Seiten als Feinde gegenübertreten, in deren Dienst sie nun einmal fechten, wird noch auf lange hinaus nicht als außergewöhnlich empfunden. Und daß Franz I. und Heinrich VIII. sich für geeignet hielten, die deutsche Kaiserkrone zu tragen, und ausdrücklich für sie kandidierten, wäre höchstens der beiden Bewerber wegen als herausfordernd oder lächerlich angesehen worden, nicht etwa wegen ihrer fremden Nationalität. Aber gegenüber diesen altüberlieferten Gewohnheiten bricht dann doch das

Bewußtsein der völkischen Eigenart zuzeiten ganz unerwartet und dann auch ziemlich mächtig auf, so etwa, wenn die Italiener den frommen Papst Hadrian VI. nicht nur wegen seiner offenkundigen Frömmigkeit für eine herausfordernde Erscheinung hielten (das war für einen Papst ein aufreizendes Verhalten!), sondern ihm das Leben unmöglich machten, weil er nicht Italiener war. Sie empfanden ihn einfach als Eindringling.

In sehr viel schönerer, ganz unmittelbarer Form brach das nationale Gefühl in Deutschland auf, als der große Humanist Erasmus durch Deutschland nach Basel reiste – ihn selbst hat diese Begeisterung, die größte und bei weitem herzlichste, die ihm je öffentlich dargebracht wurde, verwundert und erstaunt, zumal seine humanistische Vorliebe ihn nach Paris oder noch mehr nach Oxford zog; und die guten, begeisterungsfähigen Deutschen haben vielleicht selber in dumpfer Tiefe empfunden, daß Erasmus eigentlich nur der

*Ulrich von Hutten.
Holzschnitt aus dem
«Gesprächsbüchlein»,
1521*

Deutsche Söldnertruppen. Holzschnitt von Michael Ostendorfer, um 1530

Katalysator war, der ihr Nationalempfinden in Bewegung setzte; später sollte der Eigentliche kommen: Luther, der nach Worms zieht. Die Quellen der deutschen Geschichte werden wieder entdeckt, etwa die «Germania» des Tacitus; und als ein überspitzt vaterländisches Buch entsteht unter der Feder des Humanisten Wimpfeling, eines Elsässers, dessen neue «Germania».

Dieses alles war aber nur ein Anfang.

Auf einem anderen Gebiet jedoch war das Erwachen der Völker mehr als nur ein Anfang: auf dem des Glaubens. Doch ehe von dieser wichtigsten Seite des damaligen Lebens geredet werden kann, versuchen wir eine kurze Überschau über die geistige Welt der Zeit.

Das geistige Weltbild

Das geistige Weltbild erfuhr Veränderungen, die in der bisherigen Geschichte des Abendlandes ohne Beispiel sind. Denn es trat buchstäblich eine neue Welt ins Blickfeld: die von Kolumbus entdeckte Neue Welt.

Dieser junge, phantasievolle Genuese, der für seine Pläne daheim kein Verständnis fand und schließlich von der spanischen Krone mit jener Karavelle «Santa Maria» ausgerüstet wurde, die uns heute neben den modernen Ozeandampfern wie eine Nußschale vorkommt, in dem sich ein modern und faustisch anmutendes «Fernweh» mit tiefem mittelalterlichem Mystizismus verband, ist gleichsam ein Symbol für das Aufeinanderstoßen zweier Zeitalter. Er war zu seinen Fahrten angeregt worden durch das erdkundliche Handbuch eines der bedeutendsten Theologen des 15. Jahrhunderts, des großen Pariser Scholastikers Pierre d'Ailly, dem übrigens auch Luther Entscheidendes verdankt; und auf jene abenteuerliche Fahrt, die ihn nach Ostindien führen sollte und dafür nach Westindien brachte, nahm er ein anderes, von frommer Meditation erfülltes Buch des gleichen Gelehrten mit, eine schöne tiefe Schrift des Mannes, der einen so entscheidenden Anteil an der Verurteilung von Hus gehabt hatte! So spiegelt sich schon in der einen Gestalt des Kolumbus das Strahlenbündel vielfältigster Strebungen, die vom Mittelalter in die Neuzeit hinüberführen. Und fast unvermittelt vollzieht sich nun die Umbildung und Ausweitung des Weltbildes, die seine Entdeckung veranlaßt hatte. Er hat – noch völlig überzeugtes Glied der mittelalterlichen Kirche – den entdeckten Plätzen christliche Namen gegeben, und die nach ihm kommen, werden die fromme Sitte weiterüben: Corpus Christi Bay, San Salvador, S. María de la Concepción – so und ähnlich lauten die Namen. Aber hinter diesem dünnen Schleier von Christlichkeit erhebt sich sofort die häßlichste und grausamste Form von Kolonialpolitik; die spanischen und portugiesischen Eroberer, die sogenannten Konquistadoren, kommen in Scharen; doch sie verleihen nicht mehr – wie die Kreuzfahrer – Europa einen neuen Schimmer des Überweltlichen, sondern die nackte Eroberungssucht mit allen schauderhaften Begleiterscheinungen taucht auf, und die ersten Kolonien sehen auch die ersten Kolonialgreuel.

Und das Geld strömt. Der Zufluß von Edelmetall, der von dorther kommt und der im Laufe des 16. Jahrhunderts eine schwindelnde Höhe erreicht, stärkt den spanischen Staatshaushalt, macht Spanien zur wirtschaftlich mächtigsten Macht und zieht zugleich auch den alten F l u c h des Goldes nach sich: Spanien wird diesen Reichtum nicht länger als ein Jahrhundert ertragen, und ganz Europa wird in eine wirtschaftliche Krise hineingezogen, die von der Mitte des Jahrhunderts an sich immer schwerer fühlbar macht.

Das Weltbild hingegen zeigt eine Erde, die zugleich weiter und

Karavelle des Kolumbus.
Holzschnitt aus «De insulis inventis», Basel 1494

übersehbarer geworden ist. Unendliche Horizonte tauchen auf, aber sie erschrecken den Menschen nicht mehr und erfüllen ihn nicht mehr einfach mit einer unbegrenzten Ehrfurcht. So wie sich der Blick nüchtern und entschlossen nach dem neuen Westen richtet, so werden auch die Ränder dieser Welt nach Osten noch einmal neu ins Auge gefaßt: die Nordküste Afrikas und nachher der Ostteil des Mittelmeeres werden Schauplatz großer Kämpfe gegen die zunehmende Türkengefahr, und einige der größten Siege dieses Jahrhunderts verstärken das Gefühl, daß der Mensch doch Herr seiner Welt ist.

Das alles vollzieht sich in einer Welt, deren Lebensformen noch immer durchaus mittelalterlich gestimmt sind. Aberglaube aller Art führt sein mächtiges Regiment; auch Kolumbus sollte ihm als Opfer erliegen.

So war also der Blick der Welt noch einmal gleichsam auf ihre Ränder gerichtet; zum ersten Male seit der Zeit der Kreuzzüge hatte sich wieder ein Expansionsdrang geltend gemacht, der dem mittelalterlichen Menschen fast fremd geworden war. Das faustische Zeitalter beginnt, die faustische Unruhe wird über den Menschen Herr. Die Sternkundigen wagen sich auf neue Bahnen, Erfinder tauchen auf – alles ist erst in den Anfängen und doch dazu bestimmt, das Weltbild von Grund auf zu ändern.

Noch deutlicher als das politische und das geographische zeigt das g e i s t i g e W e l t b i l d diesen Wandel an.

Da war der Fürst der Humanisten, Erasmus. Dieser übermittelgroße, blonde Holländer mit der weißen Haut, den frischen Farben und dem scharfen Gesicht des Denkers war in mehr als einer Hinsicht Höhepunkt und reifste Frucht des Humanismus. Über die bloße Nachahmung der Alten war er hinausgewachsen und hatte selbst wieder das Latein zu einer wirklich lebendigen Sprache gemacht. Seine Sprichwörtersammlung «Adagia» war ein buchhändlerischer Erfolg ersten Ranges gewesen; hatte er damit doch der mittleren Bildungsschicht seiner Zeit ein nützliches Handbuch geschenkt, das ihr den Zugang zu der Welt der Antike öffnete, und seine «Gespräche» waren Meisterwerke einer gepflegten, geistig bedeutsamen Journalistik. Sie waren für die damalige Zeit das, was heute der Leitartikel einer führenden Zeitung sein würde, nur unvergleichlich einflußreicher, weil sie noch kein abgenutztes Mittel zur Beeinflussung der öffentlichen Meinung waren, nicht zuletzt auch deshalb, weil sie auf einer beträchtlichen geistigen Höhe standen. Und eben die Unbefangenheit ist so überaus bezeichnend, mit der hier ein Mensch, der im übrigen nichts anderes als ein echtes Glied der Kirche Christi sein wollte, doch mittelalterliches Denken, auch das der Kirche, angriff. Reliquien und Wallfahrten hat er mit einem überlegenen, aber so tödlichen Spott behandelt, daß selbst Luther – äußerlich geurteilt – nichts Schärferes vorbringen konnte. Er nimmt aber auch die neue geistige Welt so sehr mitten in die überlieferte Christlichkeit hinein, um die christliche Lehre vor der Gegenwart vertretbar zu machen, daß er an mehr als einer Stelle das mittelalterliche Welt-

Erasmus von Rotterdam. Gemälde von Hans Holbein d. J., 1523.
Basel, Kunstmuseum

bild sprengt. In einem seiner Oxforder Gespräche verwendet er, als die Reihe in jener humanistischen Tafelrunde an ihn kommt, die Paradiesesgeschichte von dem Engel mit dem bloßen hauenden Schwert. Er läßt eine seiner Dialoggestalten zu diesem Engel hinaufrufen: «He da! was stehen Sie da noch immer mit dem lächerlichen Ding herum? Bewachen Sie noch immer den Garten? Bei uns verwendet man für dergleichen längst die Hunde!» und fährt fort, den Prometheus-Mythos von der Auflehnung des Menschen gegen die Götter auf eine so geistvolle Weise mit der Geschichte vom Sündenfall zu verbinden, daß der wesentliche Unterschied überhaupt nicht mehr erkennbar zu sein scheint. Das ist bezeichnend – dieses blendende Zwielicht liegt über der ganzen Geisteshaltung der Epoche. «Der ganze geistige Himmel wurde neu orientiert.» (Burckhardt, «Humanitas christiana»)

Der feinste Gradmesser seelischen Lebens, die K u n s t, beweist das. Der wunderbare Goldgrund der Sieneser Heiligenbilder, der diese Gestalten aus dem irdischen Treiben herausgehoben und transzendent verklärt hatte, verschwindet, und an seine Stelle treten duftige blaue Landschaften mit weiten Ausblicken über Flüsse und Täler; die Gestalten lösen sich aus der sehr hieratischen Haltung der liturgischen Bilder; der Faltenwurf regt sich, die Mienen werden lebendig; der wirkliche Mensch tritt hervor. Und noch deutlicher bei den Skulpturen: Aus dem Schatten der Pfeiler und Torbögen der gotischen Dome lösen sie sich und treten heraus, wirkliche Menschen von Fleisch und Blut. Die überlangen Lianen der gotischen Heiligenfiguren, die sich mit ihrer überirdischen Zartheit und ihren ekstatischen Betergebärden so großartig in das himmelstrebende Gewirr der Pfeiler und Schwibbögen gotischer Kathedralen einfügten, machen nun jenen plastischen Gestalten Platz, die mit vollen lebendigen Formen die neu erwachte Lebensnähe der Renaissance atmen, die sie im Anschauen der Antike wiedergewonnen hatte.

Aber das war kein einfacher kalendermäßiger Übergang, sondern auch hier ist «zweier Zeiten Schlachtgebiet». Die alte Welt weicht nicht einfach der neuen, sondern beide stoßen aufeinander, vermischen sich, wie die Fluten eines mächtigen Stromes sich mit dem vermischen, in den er mündet. Um nur ein Beispiel zu nennen: Hieronymus Bosch, der genau um die Jahrhundertwende malte, hat in seinem berühmten Gemälde «Garten der Lüste», das heute im Prado hängt, das Heer der Dämonen geschildert, das menschlichen Sinnen zusetzt. Unheimliche Gestalten bevölkern das Bild. Da sind alle bösen Geister losgelassen, das Ohr, das den Klängen der Musik verfallen war, durchbohrt von den Nadelstichen einer nicht endenden Musik, ein Menschlein, hingegossen an einer Harfe, von der es nicht loskommt, Würfelspiel und Jagd und die massivsten aller Lüste, Wollust und Völlerei; aber mitten unter diesen ganz mittelalterlich empfundenen Verkörperungen der Lüste blickt mehrfach ein bleiches menschliches Antlitz – mittelalterlich, wie es scheint, in dem Grauen vor dieser entfesselten Dämonenwelt; aber unendlich «modern», menschlich ganz nahe, in dem abgründigen Wissen um diese Welt: der Mensch, der lebendige, leidende Mensch in dieser Walpurgisnacht mittelalterlicher Exzesse.

Und gerade dieses Nebeneinander ist so erstaunlich und aufschlußreich. Grünewald reicht Dürer die Hand hinüber, Brueghel löst Bosch ab, und am deutlichsten ist dieser pausenlose Übergang in der M u - s i k: Einige der ganz großen Weisen des späten Mittelalters klingen

Aus dem sog. «Garten der Lüste». Gemälde von Hieronymus Bosch. Madrid, Museo del Prado

Der Drucker. Holzschnitt von Jost Ammann

mit gewaltigem Orgelklang in die neue Zeit hinüber und werden dort wie ein selbstverständliches geistiges und geistliches Erbe mit neuem Inhalt gefüllt und mit neuer Inbrunst gesungen, vor allem in Luthers gewaltigem Liede *Mitten wir im Leben sind mit dem Tod umfangen*, in dem das mittelalterliche «Media vita in morte sumus» mit mächtigen Klängen eine der tiefsten Glaubenserkenntnisse des Mittelalters in die aufbrechende Neuzeit hinüberführt und neu wirksam werden läßt.

Es gab aber einen äußeren Grund dafür, daß dieser Wandel im geistigen Weltbild so ungeheuer wirksam wurde. Das war die B u c h d r u c k e r k u n s t. Ihre Bedeutung ist überhaupt nicht zu überschätzen. Zwar stand das spätere Verlagswesen und die heutige Technik der Literaturverbreitung erst in den Anfängen; Buchdrucker waren zugleich Verleger und druckten, was sie fanden und wo sie etwas Geeignetes bekommen konnten. Von einem geregelten Urheberrecht war keine Rede, vor Nachdrucken war niemand sicher, und wenige sahen in diesem wilden Geschäft etwas Ehrenrühriges oder wirtschaftlich Ungehöriges. Luther hat beispielsweise für sein ausgebreitetes Schrifttum – bei weitem das reichste der Zeit – keinen Pfennig Honorar erhalten, während sein Wittenberger Drucker sich aus den Erträgnissen dieser Schriften ein ansehnliches Haus bauen konnte. Aber um so stärker war die Öffentlichkeitswirkung. Die Flugblätter, Broschüren und Bücher dieser Jahrhunderte haben in der Tat zum ersten Male in vollem Umfange jenes moderne Phänomen hervorgebracht, das wir «öffentliche Meinung» nennen. Die beinahe phantastische Wirkung des Erasmus, diese Popularisierung der Antike im besten Sinne, das Hineinwerfen seiner reformatorischen Polemik in die breiten Massen der Völker setzte die Buchdruckerei voraus, und Erasmus hat es als den größten Gewinn seiner Zeit empfunden, daß diese Breitenwirkung möglich war. Ihm war zumute wie später den Leuten, die zuerst die ungeheure Werbungs- und Wirkungsmöglichkeit des Rundfunks erkannt haben.

Das Ideal des Erasmus hatte den Buchdruck einfach zur Voraussetzung. Wenn er zum Beispiel jedem schlichten Menschen das Neue Testament in die Hand geben wollte, wie er in einem seiner schönsten und mit Recht am häufigsten zitierten Worte gesagt hat, dann war das nur in einer Zeit denkbar, in der nicht mehr der Besitz einer Bibel einer Vermögensanlage gleichkam, sondern in der ein solches Exemplar für erschwingliches Geld zu kaufen war. Aber nicht nur auf dem Gebiete des Glaubens, sondern auch in allen anderen Zweigen des öffentlichen Lebens, der Politik und Wirtschaft war es forthin außerordentlich bedeutsam, daß nun eine öffentliche Meinung da war, die – mochte sie politisch noch so gehaltlos sein – immerhin eine gewisse Kontrolle ausübte. Der Anteil der Nation am eigenen politischen Schicksal sollte zwar erst dreihundert Jahre später durch die Revolution von 1848 möglich werden; aber in geistigen Dingen, die damals wie heute und allezeit wesentliche Triebkräfte waren, spielte sie schon im 16. Jahrhundert eine Rolle, wie die Fürsten und die Päpste deutlich genug zu spüren bekamen. Vollends die Reformation wäre ohne diese damals ganz neue Technik zur Verbreitung geistiger Erkenntnisse gar nicht vorstellbar. Und die dichtbevölkerten Städte waren der ideale Nährboden solcher öffentlichen Meinung. Es galt in geistiger Hinsicht nicht weniger als in bürgerlicher: Stadtluft macht frei. Es ist kein Zufall, daß die freien und unabhängigen Reichsstädte in der reformatorischen Bewegung eine solche wesentliche Rolle spielten. Sie hatten die Macht, eine unabhängige Meinung zu bilden, und vertraten sie auch.

Luther aber war der erste, der die neue Erfindung zu ihrer vollen Wirkung brachte; durch die Buchdruckerkunst ist damals die öffentliche Meinung fast völlig dem Einfluß eines einzigen Menschen unterworfen worden.

Sieht man sie nur von außen, so bietet sie ein erstaunliches Bild. Denn sichtbarer Repräsentant der Kirche ist der Papst, und zu keiner Zeit hat die Sichtbarkeit der Kirche mehr gegolten als gerade zu dieser. Es ist eine merkwürdige, sehr vielgestaltige Reihe von Päpsten, die an unserem Auge in diesem Zeitraum vorüberziehen; aber ehe wir sie näher ins Auge fassen, müssen wir, um ihnen Gerechtigkeit widerfahren zu lassen, die Lage des Papsttums überhaupt bedenken.

Seit der Mitte des 15. Jahrhunderts waren die Päpste fast völlig weltliche Fürsten. Und das war noch das Beste, was man von ihnen sagen konnte. Über Rom war der wunderbare Rausch der Renaissance gekommen, und die freie, gelöste Weltlichkeit der antiken Kunst bestimmte die päpstlichen Paläste, die Hofhaltung und das öffentliche Leben. Leider waren nicht nur Poeten und Bildhauer, Maler und Architekten die Trabanten dieser neuen Epoche, sondern auch Gift, Mord, Neid, Habsucht, schrankenlose Ausschweifung und Machtgier spielten eine große Rolle. Das Auffallendste am Bilde des Renaissance-Papsttums ist die Selbstverständlichkeit, mit der es auftritt. Die Sixtinische Kapelle verdanken wir einem der schlimmsten Päpste, der in dieser erstaunlich doppelten Weise – als Mäzen wie als Schuft – seinen Namen unsterblich gemacht hat. Diese Unbekümmertheit kann sogar einen großartigen Zug haben. Ein Spanier, Alexander VI. Borgia, der letzte in der Reihe der besonders üblen Renaissance-Päpste, Neffe des durch seinen Nepotismus berüchtigten Calixt III., zeigt sich auf dem Balkon seines päpstlichen Palastes, den Arm um seine Tochter gelegt, um die Hengste seines Gestüts zu bewundern – ein starkes schönes Naturwesen, ausgerüstet mit der Härte und Klarheit des Geschlechtes, aus dem er hervorgegangen war. Es ist nach neuerer Forschung so gut wie sicher, daß er selber an dem Gift starb, das er einem anderen zugedacht hatte. Auch die Rachsucht war ungebrochen und naturhaft in diesem Statthalter Christi.

Eine ähnliche Erscheinung steht am Anfang des neuen Jahrhunderts, Julius II. Luther nennt ihn – wohl im Anschluß an Erasmus – kurz den *Blutsäufer* oder *den alten Löwen mit der weißen Mähne*. Sein ganzes Zeitalter hat sich über die Fülle seiner blutigen Kriege entrüstet, die er persönlich zu führen pflegte. Eine der bittersten Streitschriften aus dieser Zeit bestätigt das: Julius exclusus, «der vom Himmel ausgeschlossene Julius» – ein geistvoller Humanistendialog, in dem der Papst, den päpstlichen Ornat über der blutbefleckten Rüstung, am Himmelstor vergeblich Einlaß begehrt; Petrus will diese bluttriefende Gestalt im Himmel nicht dulden. Man kann versuchen, ihm Gerechtigkeit widerfahren zu lassen: Er hat – wie Machiavelli – die tiefe politische Schwäche Italiens erkannt, die in seiner territorialen Zerrissenheit bestand, und das Seine redlich dazu getan, diese Einheit nach einem später so bewährten Rezept mit «Blut

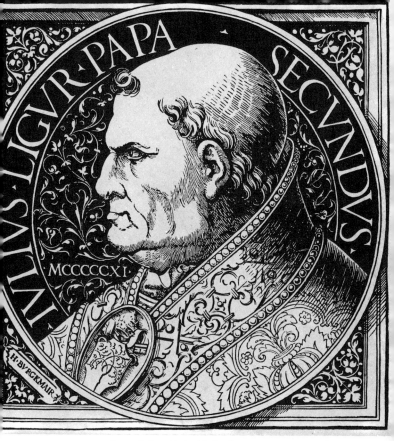

Papst Julius II. Farbholzschnitt von Hans Burgkmair

und Eisen» herzustellen, was seinem geschichtlichen und politischen Scharfblick alle Ehre macht. Nur war nicht zu übersehen, daß ihn diese Pläne weit über das hinausführten, was zum eigentlichen Pflichtenkreis seines hohen christlichen Amtes gehörte! Die Zeitgenossen jedenfalls, so sehr sie auch an blutige Kriege durch ihre Herrscher gewöhnt waren, haben es ihm beträchtlich verübelt, daß er zwischen Rüstung und Tiara nicht zu unterscheiden vermochte. Und in diesem Urteil spricht sich eine der tiefsten Wandlungen der Zeit aus: Den päpstlichen Hexensabbat des voraufgegangenen Jahrhunderts mit Giftmorden, Unzucht und lauter Weltlichkeiten hatten eigentlich nur die Spiritualen, das heißt die strengen, tapferen Nachfolger des Franz von Assisi, und andere Vertreter der «Innerlichkeit» schrecklich gefunden, während die Christen im ganzen diese Entartung merkwürdig geduldig hinnahmen. Das wurde nun anders.

An die Stelle der Borgia treten im 16. Jahrhundert die Medici –

ein rasch aufstrebendes Bankiergeschlecht, dessen Reichtum bald so beachtlich wird, daß man keinen Grund mehr sieht, sie nicht unter die fürstlichen Häuser Europas zu rechnen; zwei Frauen dieses Hauses zieren auf ihre Weise im 16. und 17. Jahrhundert den französischen Königsthron. Die Mediceerpäpste aber sind durchaus kultivierte Fürsten, die sich auf politische Feinheiten verstehen, wenngleich mit ungleichartigem Glück: Leo X., der Papst zur Zeit Luthers, zeigt sich bereit, den unerfreulich lauten Streit in Deutschland mit diplomatischer Vornehmheit beizulegen. Sein Vetter ist Giulio de'Medici, der ihm als Staatssekretär gedient hat und später als Klemens VII. selbst Papst wird. Er muß das schwere politische Erbe übernehmen: die Finanzen befinden sich am Rande des Ruins; er hat alle Aussicht, zwischen den beiden Mühlsteinen Frankreich und Habsburg

Papst Hadrian VI. Gemälde von Jan van Scorel.
Louvain, Collège du Pape

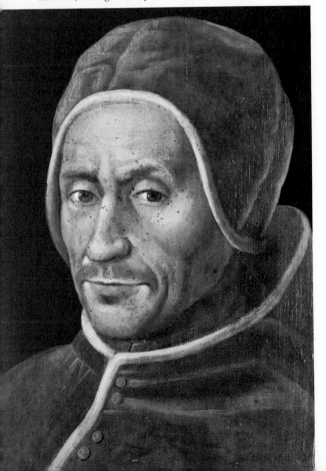

Papst Leo X. Zeichnung von Sebastiano del Piombo

zerrieben zu werden; die furchtbarste Prüfung der Ewigen Stadt tritt gerade unter ihm ein: der Sacco di Roma, die Plünderung Roms 1527, da eine Landsknechtsrevolte über Rom herfällt und dort unvorstellbar haust. Dazu der Ehehandel Heinrichs VIII., der unter seinem Pontifikat zur Entscheidung kam – es war schwer für ihn, so viel Verluste auf einmal zu erleben, war doch der Ehehandel der äußere Grund dafür, daß Heinrich die englische Kirche von Rom losriß. Übrigens betreiben jene Historiker, die in diesem Falle Klemens loben, weil er an päpstlichen Grundsätzen so vorbildlich festgehalten habe, Schönfärberei; der päpstliche Stuhl hatte schon für schwierigere Fälle einen Ausweg gefunden, ohne durch seine Grundsätze behindert zu sein; bestimmend war allein die Tatsache, daß im politischen Kräftespiel Karl V., der Neffe der englischen Königin und Gemahlin Heinrichs, schwerer wog als Heinrich selbst. Klemens ist einfach ein unbedeutender Papst, dem nun die Rechnung präsentiert wird für eine Haltung, die schon längst vom eigentlichen Auftrag des Papsttums abgewichen war. Ranke und Pastor haben sein Pontifikat «das verhängnisvollste» der Papstgeschichte genannt; seine Treulosigkeit und Unzuverlässigkeit gegenüber Karl haben nicht wenig dazu beigetragen, daß die reformatorischen Fürsten freie Hand bekamen, und wohl am schwersten wog der Schaden, den er durch seine zähe, stille Opposition gegen ein Konzil anrichtete. Ein schlechter Papst. Was bei Julius II. noch kraftvoll wirkte, wird bei ihm ins Schwächliche umgebogen; das Papsttum hatte sich selbst zur völlig weltlichen Macht gemacht. Aber Italien, dessen politische Zerrissenheit Julius II. nicht hatte überwinden können, war kein Boden für solche weltlichen Machtansprüche, und da es dem Papsttum an dem entscheidenden Landbesitz fehlte, konnte dieser Weg nur in eine sehr bescheidene Existenz führen; es wurde drittrangige italienische Territorialmacht, Spielball jener Mächte, die um Italien rangen. Aus diesem Schicksal gab es keinen Ausweg, so viel diplomatische Fäden die Kurie auch spann und so viel sie auch – wenn Ranke recht hat – sogar intrigierte; soll doch der Papst ernstlich erwogen haben, sich mit Franz I. und den Türken gegen Karl zu verbinden.

Es war eben wie bei Julius II.: Die äußere politische Aufgabe des Papsttums, die es selbst gewählt hatte, war unlösbar. Der Papst mußte entweder die Tiara tragen oder die Rüstung, aber nicht die eine über der anderen. Wollte das Papsttum weiterhin im weltpolitischen Spiel bleiben (und es war ganz klar, daß es das wollte), dann mußte es, was ihm an Hausmacht fehlte, durch diplomatische Strategie ersetzen. In späterer Zeit hat das Papsttum das großartig gelernt; der päpstliche Staatssekretär zur Zeit des Wiener Kongresses, Consalvi, hat es fertiggebracht, als Vertreter des durch Napoleon schwer gedemütigten Papsttums eine Rolle zu spielen, die der von Talleyrand und Metternich gleichkam.

Wie eine Vorahnung künftiger Erneuerung des Papsttums steht die merkwürdig einsame und anziehende Gestalt des Niederländers Hadrian VI. zwischen diesen Medicis und anderen Italienern. Er ist Erzieher Karls V. gewesen; das Vertrauen seines kaiserlichen Herrn hat ihn später in großen politischen Aufgaben in Spanien verwendet, und nun hat der Kaiser ihn zum Papst gemacht. Aber er ist ein merkwürdiger Papst, alles andere als ein italienischer Capitano oder ein dem verfeinerten Lebensgenuß ergebener Renaissancefürst. Ein Papst, der vor dem Reichstage zu Nürnberg 1522/23 mit einem Schuldbekenntnis der Kirche beginnt! Also ein gefährlicher Papst – denn er macht Ernst. Von fern taucht die Frage auf, ob je die Reformation zum Bruch mit Rom geführt hätte, wenn dieser glaubensstarke, zum Heiligen entschlossene Mann in den entscheidenden ersten Jahren auf dem Stuhl Petri gesessen hätte. Aber ein Papst, der es vor allem mit der Kirche und seinem christlichen Amte ernst meint, ist um diese Zeit noch eine unmögliche Erscheinung in Rom. Der frühe Tod erlöst ihn aus einer bitteren und ausweglosen Lage. Das sehr schöne Grabmal, das ihm in der deutschen katholischen Kirche Santa Maria dell' Anima zu Rom errichtet wird, faßt sein hochgemutes, vergebliches Lebenswerk in einer symbolischen Geste zusammen: die Linke stützt das vom Todesschlaf überwältigte edle Haupt, dem die Tiara zu schwer geworden zu sein scheint. Die Papstpolitik der Medici tritt wieder in ihr Recht.

Hadrian VI. blieb nur eine Episode; aber diese macht blitzartig deutlich, daß die Erneuerung der Kirche nicht vom Papsttum ausgehen konnte. Und für das Gesamtbild, das die Epoche vom Papsttum hatte, blieb die Erscheinung Hadrians VI. aus den angegebenen Gründen begreiflicherweise völlig bedeutungslos. Denn für den Bußernst dieses Mannes war kein Raum in einem Rom, dessen Grundcharakter nach Burckhardts Wort «das großartig Heitere» war. Es ist ja erstaunlich genug, daß sich diese festlich-majestätische Welt, die aber doch eben mit aller ihrer Lieblichkeit und Erhabenheit, ihrer Harmonie und Größe «Welt» war, unter den Kriegswirren der Zeit so zu erhalten und zu vollenden vermochte; aber die Rettung der Kirche mußte von anderen Gestalten ausgehen. Ignatius von Loyola, der strenge asketische Baske, Offizier und Mystiker, sollte der Feldherr der Wiedereroberung Europas für die Kirche sein. Die Päpste hätten es nie vermocht.

Auf ihre Art waren diese Päpste und Kardinäle gepflegte und bedeutende Erscheinungen. Als Julius II. in fast ungebrochener Kraft fast siebzigjährig stirbt, endet ein Leben ehrgeiziger militärischer und politischer Pläne, ein Realpolitiker beachtlichen Formats von fast neuzeitlicher Unbedenklichkeit in der Wahl der Mittel – nur eben kein Papst. Jene Kirchenfürsten, die etwa ein Jahrhundert vorher in Konstanz die Verurteilung des Jan Hus aus Böhmen vollzogen, haben an den sitzungsfreien Tagen des Konzils die Umgebung nach alten wertvollen Handschriften abgesucht und aus den Klöstern von St. Gallen, der Reichenau und Ufenau bedeutsame Schätze nach Rom gebracht. Und wie die Kunst blühte, weiß jeder. Es sind gerade die schlimmsten Päpste, die mit ihrer Förderung von Michelangelo, Raffael und den ungezählten anderen es dahin gebracht haben, daß heute die Päpste nicht in schlichten Räumen, sondern in gewaltigen Palästen und Kirchen wohnen und wirken. Wer aber noch mehr als nur die sichtbare Außenseite der päpstlichen Politik übersah und etwas von den Finanzgeschäften der Kurie wußte – und das waren nicht wenige Zeitgenossen –, für den war die Frage nicht mehr aufzuhalten, was dieses großartige weltliche Treiben noch mit der Nachfolge dessen zu tun haben mochte, der auf Erden «nichts hatte, da er sein Haupt hinlege».

Die Reste geistlicher Autorität aber, die noch vorhanden gewesen waren, hatte das Papsttum selbst verbraucht. Das Abendland hatte mehr als einmal die Rivalität zweier oder gar dreier einander bekämpfender Päpste erlebt, ein schwerer Schlag für die christliche Einheit des Abendlandes. Als die Päpste im Gebrauch ihrer geistlichen

Mittel immer unbefangener wurden, haben sie selbst es dahin gebracht, daß ihre Bannflüche und Interdikte nichts mehr bedeuteten. Auch der einfältigste und glaubenswilligste Christ mußte stutzig werden, wenn Pius II. die Hinterziehung des Zolls durch die Umgehung der zum Kirchenstaat gehörigen Alaun-Gruben von Tolta unter die Todsünden rechnete, gegen die kein Ablaß möglich sei! Denn der Ausschluß aus der Gemeinde der Gläubigen und das Verbot aller gottesdienstlichen Handlungen waren ursprünglich geistliche Mittel gewesen; wenn das Papsttum selbst dazu beitrug, daß sie nicht mehr als solche galten, war ihre Wirkung dahin.

Unabwendbar mußte dann auch die Gegenwirkung sein. Es hat etwas Erschreckendes und Betrübendes, zu sehen, mit welcher Selbstverständlichkeit die Glaubenskritik am Papsttum von den Zeitgenossen aufgenommen wird. Die Notwendigkeit einer «Reform an Haupt und Gliedern» gilt als so dringend und selbstverständlich, daß niemand das Papsttum in seiner damaligen Gestalt verteidigt.

Nicht minder schwer hatte eine andere Institution gelitten, die einmal der päpstlichen Kirche die mutigste, selbstloseste und erfolgreichste Vortruppe gestellt hatte, das M ö n c h t u m. Gerade jene Orden, denen im 13. Jahrhundert die Kirche eine Art Neugeburt verdankte und die ihr jedenfalls damals in ihren neuen Aufgaben an den Städten und den Massenbewegungen des hohen Mittelalters unschätzbare Dienste geleistet hatten, die Bettelorden, waren am meisten heruntergekommen. Aus der Armut, die der heilige Franz gepredigt hatte, war der Bettel und aus dem Bettel war die Faulheit geworden. Die Sittenlosigkeit der Franziskaner war mittlerweile sprichwörtlich. Über ihren Mangel an Zucht und über die stumpfe Borniertheit der Domherren gießt Erasmus seinen glänzenden, beißenden Spott aus. Die große abendländische Sendung, die das Mönchtum seit den Tagen Benedikts von Nursia gehabt hat, scheint vergessen, und die frommen und ernsten Gestalten, die es auch damals hinter Klostermauern gab, bleiben den Augen der Welt verborgen, die dafür die Unwürdigen um so leichter erkennen.

Und doch hat es auch andere Erscheinungen gegeben, und das Volk hat sie wohl zu finden gewußt. Es ist geradezu ergreifend, wie sich die V o l k s f r ö m m i g k e i t hier Bahn und Zugang sucht. Nach außen hin geht sie ganz den Weg der Veräußerlichung bis in alle Spielarten des Aberglaubens hinein; unheimliche Macht haben die magischen und mechanischen Mittel der Frömmigkeit, Reliquien, Ablässe, Wallfahrten. Man kann in den «Gesprächen» des Erasmus darüber eine unbefangene, geistvoll überlegene, aber doch fromme Kritik vernehmen. Aber was vermochte die geistvolle Humanistenkritik gegen eine Tatsache, die wirksamer als alle Argumente war: die unheimliche Furcht des spätmittelalterlichen Menschen vor dem Tode, vor Fegefeuer und Höllenqualen! Und diese Welt, in der g e s t o r- b e n werden mußte, war seine Welt: die nicht endenden Kriegszüge nahmen ja nicht nur die zahllosen Landsknechte mit, sondern oft nicht minder die betroffenen Landstriche; dazu kam die Wehrlosigkeit gegen die zahlreichen Epidemien, die in den dichtbevölkerten, sanitär schlecht versehenen Städten immer wieder mit furchtbarer Wucht ausbrachen. Das «Media vita in morte sumus», *Mitten wir im Leben sind mit dem Tod umfangen*, war dem Menschen dieser Epoche, der nicht gerade dem kleinen erlesenen Kreise der Herrschenden und Geistesaristokraten angehörte, nahe wie das tägliche Brot.

Auf ihn haben daher die tiefste Wirkung ausgeübt alle jene, die ihm Trost wider das Sterben zu bieten vermochten. Eine der allerschönsten Blüten dieser Art ist das kostbare kleine, unter dem Namen eines stillen, gesegneten Mannes auf dem Agnetenberge bei Zwolle, des Thomas a Kempis, verbreitete Büchlein: «De imitatione Christi» (Von der Nachfolge Christi). In dem Hexensabbat der entarteten päpstlichen Kirche und unter den geistvollen, aber zuletzt doch immer unverbindlichen Kritiken der Humanisten klingt die stille Stimme dieses Zwiegespräches zwischen dem erhöhten Herrn und seinem Schüler wie eine wunderbare leise Melodie der Andacht, die uns den Lärm der anderen vergessen macht. Dieses wertvolle kleine Werk, von Luther aufs höchste geschätzt, ist die Bibel des Volkes gewesen. Das aber, was seinen Gehalt ausmachte, ist auch auf anderen Blättern und an anderen Stätten noch lebendig gewesen; so klingen aus dem verwirrend reichen Stimmengefüge des ausgehenden Mittelalters, dieser erstaunlich reichen Epoche, auch immer wieder die stillen Lobgesänge der suchenden Seelen auf, und obwohl die glanzvolle Welt des Vordergrundes, wo die Könige und hohen Prälaten erscheinen, von anderen Klängen erfüllt ist, so ist dennoch diese Anbetung Gottes und seiner Gnade nie völlig verstummt.

Um das geistige Bild des Mittelalters abzurunden, bedarf es aber noch eines Blickes auf die T h e o l o g i e. Denn sie gehört zu den eindrucksvollsten Äußerungen dieser Zeit, wie sie überhaupt eine der ganz großen Stilformen des Mittelalters gewesen ist. Ihre gedanklichen Leistungen, die großen Denksysteme, in die sie das mittelalterliche Weltbild zusammenfaßte, sind das würdige Gegenstück zu den großen Kathedralbauten jener Jahrhunderte. Was die Gotik für die Architektur, das war die Scholastik nicht nur für die Theologie, sondern für das abendländische Geistesleben überhaupt. Aber es ist nicht ganz einfach, dem Nichttheologen in knappen Zügen diese geistige Lage zu verdeutlichen. Vielleicht gelingt es am ehesten, wenn wir den geschichtlichen Ausgangspunkt und den Endpunkt der spätmittelalterlichen Theologie ins Auge fassen.

Grundlegend war das große Gedankengebäude, das Thomas von Aquin aufgeführt hatte. Seine Hauptwerke führen alle den Titel «Summa». Und in der Tat hat er das geistige Ergebnis seiner Epoche ausgesprochen. Er hat – schon der Plan ist gewaltig – das gesamte Weltbild der Zeit, wie es durch die Wiederentdeckung des Aristoteles geformt war, durch seine Denkleistung dem Christenheit dienstbar gemacht. Die am weitesten reichende Wirkung der Araberstürme war ja eine geistige gewesen; auf dem Umwege über sie war die versunkene Welt der Griechen wieder lebendig geworden, ihre Philosophie und Naturerkenntnis, ihre Mathematik und Astronomie. Das alles verlangte nach gründlicher Auseinandersetzung mit dem herkömmlichen christlichen Denken. Diese gewaltige Aufgabe der Auseinandersetzung hat die Scholastik geleistet, und das geschlossenste und darum wirksamste Werk auf ihrem Boden war das des Thomas von Aquin. Auf den klargeschliffenen, festgefügten Gedankengängen seiner zusammenfassenden Hauptwerke konnte die geistige und theologische Arbeit der folgenden Jahrhunderte aufbauen, und sie hat es fleißig getan. Den Leser, der etwas von der großen Bedeutung thomistischer Theologie für den heutigen Katholizismus weiß, muß man dabei auf einen bemerkenswerten Unterschied aufmerksam machen. Seit Leo XIII. 1879 die Lehre des heiligen Thomas zur Richtschnur katholischer Theologie erklärt und so die dogmatische Arbeit der katholischen Wissenschaft an Thomas gebunden hat, beherrschen

Aus dem «Triumph des Todes». Gemälde von Pieter Brueghel d. Ä.
Madrid, Museo del Prado

die Gedankengänge des Thomas durch den Neo-Thomismus in einer alles andere überschattenden Weise die geistige Arbeit des heutigen Katholizismus. Sie besteht vielfach in nichts anderem als in Thomas-Auslegung. Auch geistvolle katholische Denker, deren Arbeit ebenso durch Genauigkeit der Gedanken wie durch ernste Frömmigkeit gekennzeichnet ist, folgen diesem Verfahren: auf Grund einer – vielfach sehr klugen – Durchleuchtung der Situation wird das wesentliche Ergebnis der betreffenden Teiluntersuchung auf eine Formel zurückgeführt, deren Beantwortung sich dann verhältnismäßig einfach aus dem Gedankengut des heiligen Thomas ergibt. So merkwürdig es klingt – das ausgehende Mittelalter stand ihm wesentlich freier gegenüber. Das liegt nicht nur daran, daß er noch nicht jene ausschließliche Autoritätsstellung genoß, wie sie ihm die Entscheidung Leos XIII. im heutigen Katholizismus verschaffte; die gedankliche Arbeit der Scholastik selbst war auch noch in Bewegung.

Es ist bezeichnend, daß es zwei Angelsachsen waren, die sich mit der formvollendeten Geschlossenheit in der Gedankenarbeit des italienischen Grafen nicht zufriedengaben, Duns Scotus und Wilhelm von Ockham. Über ihrem Denken weht ein fast modern anmutender Hauch; denn gegenüber der ausgewogenen gedanklichen Sicherheit des Thomas, in dessen Werk a l l e Fragen eine Antwort vom Glauben her finden, denken sie über die Erkenntnisfähigkeit der menschlichen Vernunft skeptischer. Ob die Begriffe (nomina), die wir bilden, immer voll der Wirklichkeit entsprechen, die sie ausdrücken sollen, das mit Sicherheit zu entscheiden, ist uns verwehrt. Wir müssen uns bei jener Grenze bescheiden, die unserer Erkenntnis der Wirklichkeit gezogen ist. Das gilt nirgendwo mehr als da, wo von Gott die Rede ist. Es ist für jene angelsächsischen Denker und ihre Nachfolger geradezu ein Kennzeichen der Ehrerbietung vor Gottes Offenbarung, daß der Mensch über sie auch nicht mehr auszusagen versucht, als ihm erlaubt ist. Diese Revision und Begrenzung der thomistischen Theologie hat aber gerade das letzte Jahrhundert vor der Reformation ausgefüllt. Die beiden bezeichnendsten Vertreter dieser neuen Denkrichtung waren auffallenderweise zugleich führende Kirchenpolitiker auf dem Konzil zu Konstanz, Pierre d'Ailly und Johannes Gerson. Es macht die Erinnerung an das Konzil, das Jan Hus verbrannte, doppelt schmerzlich und peinlich, daß seine Verurteilung unter der Führung von zwei Persönlichkeiten erfolgte, die zu den gebildetsten und fortgeschrittensten Theologen ihrer Zeit gehören. Sie stehen schon ganz unter den Einflüssen der anderen großen Bewegung, die das Ende der mittelalterlichen Theologie bedeutet, des H u m a n i s m u s. Obwohl er mehr als nur eine theologische Bewegung war, hat er doch gerade auf theologischem Gebiet die weiteste und tiefste Wirkung gehabt. Und hier muß noch einmal von Erasmus die Rede sein, weil sich in ihm die theologische Leistung des Humanismus am eindrucksvollsten verkörpert. Seine wirklich bedeutende Leistung ist über seinen immer wieder erörterten Fehlern ungebührlich in den Hintergrund getreten, und man muß etwas zur

Wiederherstellung seines guten Namens tun. Denn wenn man ihm immer noch nicht verzeihen will, daß er nicht Luther war, so darf man doch darüber nicht vergessen, daß er theologisch der Reifste und christlich der Sauberste unter den Humanisten war. Ihn trieb ein ganz ursprüngliches Verlangen nach Reinheit, Sauberkeit, Frieden, Ordnung; und dieses Verlangen war die tiefste Triebfeder seines ausgebreiteten Werkes, mit dem er seine Generation geistig beherrscht hat: seiner geistvollen Kritik an den Mißständen des bestehenden Kirchentums, mit der er der Reformation wichtige Wege bahnte, und ebenso seiner theologischen Arbeit, vor allem seiner Text-Ausgaben, deren wichtigste die Ausgabe des griechischen Neuen Testamentes von 1516 war. Nachdem sein humanistischer Ruf bereits begründet war, hatte er zunächst (1505) die Annotationen des Lorenzo Valla zum Neuen Testament veröffentlicht. 1516 gab er in Basel die erste griechische Ausgabe des Neuen Testamentes heraus, versehen mit einer methodisch wichtigen Einleitung über Sinn und Weg wahrer Theologie. Zwar ist gerade diese Veröffentlichung kein Ruhmesblatt für den Wissenschaftler Erasmus geworden; er hat sie in einer durch nichts zu entschuldigenden Hast und Leichtfertigkeit herausgegeben – «praecipitatum magis quam editum», herausgeworfen mehr als herausgegeben, bekennt er selbst. Aber es sei ihm nicht vergessen, daß er auf diesem Boden der Reformation vorgearbeitet hat wie nur ganz wenige seiner Zeitgenossen. Was er über das Lesen der Heiligen Schrift sagt, über ihre Hoheit und ihre Bedeutung für das zeitliche und das ewige Leben, gehört zum Wesentlichsten, was in der Zeit vor Luther darüber überhaupt gesagt worden ist.

Aber dieser überragende Geist, der um die Zeit von Luthers Thesenanschlag so etwas wie einen spätmittelalterlichen Weltruhm genoß, ist nicht ohne Grund einsam und verbittert geworden. Die Geschichte, die er selbst mitgeformt hatte wie kaum ein anderer Geist seiner Epoche, ging nicht gerade über ihn hinweg, aber stürmisch an ihm vorbei. Er teilte das Los vieler geistvoller Diagnostiker; die grundlegenden Entscheidungen gingen nicht von ihm aus. Zwischen dem Papsttum, das er mit ätzender Satire angegriffen, und von dem er sich dennoch nicht zu lösen vermocht hatte, und der Reformation Luthers, der er mit seiner geistigen Wirksamkeit die Bahn gebrochen hatte, der er sich aber nicht in ungeteiltem Entschluß anzuschließen wagte, wurde sein großes geistiges Potential aufgerieben.

Was aber nun der gesamten theologischen Arbeit ihre Bedeutung verleiht, ist die Tatsache, daß in ihr alle Themen schon aufgeklungen sind, die in der Reformationsepoche ihre Antwort finden sollen. Die große weltgeschichtliche Unrast dieses Jahrhunderts spiegelt sich auch in der Theologie wider; das allgemein verbreitete Verlangen nach einer «Reformation an Haupt und Gliedern» wird in allen ihren Fragen lebendig – in ihren kritischen Erwägungen über das Papsttum, über die mönchischen Frömmigkeitsideale, über das Ablaßwesen: Fast alle Fragen sind gestellt. Die Christenheit harrt der Antwort.

Der Vater: Hans Luther.
Gemälde von Lucas Cranach
d. Ä., Wartburg

Unten: Eisleben.
Stich von Matthäus Merian

Die Mutter: Margarethe Luther. Gemälde von Lucas Cranach d. Ä., Wartburg

ANNO · 1531 · AM · 30 · TAG · IVNII · IST · M
ARETA · LVTERIND · MA — RTINVS · MVTT
· INN · GOTT · — · VERSCHIED

Eisenach.

Links: Eisenach. Stich von Matthäus Merian
Oben: Klosterschule. Holzschnitt, 1524
Unten: Magdeburg.
Stich von Matthäus Merian

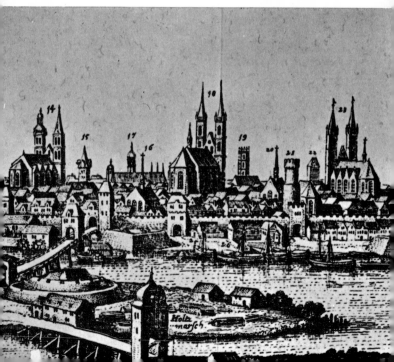

Oben: Erfurt. Holzschnitt aus Hartmann Schedels
«Liber cronicarum», 1493

Rechts: Das Augustiner-Kloster in Erfurt.
Aus dem Stifterbuch des Waisenhauses, 1669

DIE STATIONEN DES WEGES

Am Tage nach seiner Geburt, am 11. November 1483, wird Martin Luther in der Kirche zu Eisleben getauft. In demselben kleinen thüringischen Städtchen soll sich dreiundsechzig Jahre später der Kreis seines Lebens, nachdem er eine Welt in Bewegung gesetzt hat, schließen.

Da sein Vater schon ein Jahr nach seiner Geburt nach Mansfeld übersiedelte, wird er dort auf die städtische Lateinschule geschickt und lernt, was die Schule jener Zeit zu bieten weiß: klösterliches Latein, Schreiben, Singen und sehr wenig Rechnen. Obwohl Luther, wie viele bedeutende Leute, an seine Schule keine übermäßig freundlichen Erinnerungen hat, wird er ihr doch mehr verdankt haben, als er zugab; sie hat ihm die Grundlagen eines soliden Wissens mitgegeben. 1497 wird er auf die Schule der «Brüder vom gemeinsamen Leben» nach Magdeburg geschickt. Diese Bruderschaft war wohl die sympathischste unter den freien, ordensähnlichen Zusammenschlüssen des Mittelalters, ein Hort edler Laienfrömmigkeit, und es kann gar nicht anders sein, als daß der Vierzehnjährige dort die besten Eindrücke mitbekommen hat; aber Genaueres wissen wir nicht. Ein anhaltischer Prinz, der als Bettelmönch sich einer Höchstleistung von Askese unterwirft, macht Eindruck auf ihn; *wer ihn ansah, der schmatzte vor Andacht*, sagt er von ihm. Aber das braucht nicht mehr als ein kleines frommes Erlebnis gewesen zu sein.

Klar wird das Bild seiner inneren Entwicklung, als er im nächsten Jahr nach Eisenach kommt. Zeitlebens hat er sie *seine gute Stadt* genannt, und der Schimmer glücklichster Jugenderinnerungen liegt über dieser Zeit. Denn während er hier, wie viele seiner Schulkameraden, um seines Lebensunterhaltes willen in der Kurrende singt, wird er von einer edlen, mütterlichen Frau «entdeckt», Frau Ursula Cotta. Ihr Haus war zugleich eines der vornehmsten und frömmsten Häuser Eisenachs, und der Umgang mit dem großen Kreis ausgezeichneter Menschen, die er dort traf, hat ihn fürs Leben so geprägt, daß sich vor allem auf diesen Eindruck sein dankbares Urteil über seinen Eisenacher Aufenthalt bezog.

Nun sollte die Universität folgen. Vielleicht waren es äußere Gründe, die den Vater bestimmten, statt des näher liegenden und leichter erreichbaren Leipzig die Universität der Stadt Erfurt zu wählen; sie hatte den besten wissenschaftlichen Ruf.

Luthers erste Universitätsjahre vollzogen sich von 1501 an in dem bekannten, sehr genau festgesteckten Rahmen der damaligen Zeit. Seine äußeren Lebensbedingungen waren ebenso geregelt wie seine akademischen Studien. In dem allem ist über ihn und seine Studienzeit nichts Besonderes zu berichten. Den Formalismus der damaligen Universitätsbildung hat er später sehr getadelt; aber er hätte seinen großen schweren Lebenskampf gegen den mittelalterlichen

Katholizismus nie so überlegen führen können, wenn er nicht dessen Methoden so genau beherrscht hätte. Daß die üblichen Disputationen seine scharfsinnigen dialektischen Fähigkeiten sehr gefördert haben, hat er selbst zugegeben; er hat sich schon als Student in ihnen so hervorgetan, daß er den Spitznamen «der Philosoph» erhielt.

Von sachlicher Bedeutung ist nur die Tatsache, daß er dort zwar nicht dem Erfurter Humanistenkreise nahetrat – der wurde erst wirksam, als Luther bereits im Kloster war –, aber daß er die «moderne» Theologie des Wilhelm von Ockham kennenlernte. Die Lehre von der Unfähigkeit der menschlichen Vernunft, aus sich heraus die Offenbarungswahrheiten zu begreifen, hat er für sein Leben übernommen und später machtvoll neugestaltet. Die freiere Haltung der Ockhamisten ermöglichte es ihm aber vor allem, das damalige «moderne» Weltbild kennenzulernen, und er hat auf diese Weise schließlich eine sehr sichere, durchaus unabhängige Kenntnis der aristotelischen Philosophie erworben.

Es ist ein innerlich unerschütterlicher, durch keine auffälligen religiösen Ereignisse bestimmter Student, der am 7. Januar 1505 unter dem damals üblichen akademischen Gepränge die Magisterwürde erwirbt.

Aber als der junge Würdenträger nun das Studium der Rechte begann, trat das Ereignis ein, das Luthers Werdegang in eine andere Richtung drängte; es wird so etwas wie eine erste Bekehrung erkennbar.

Am 2. Juli 1505 war er auf dem Rückwege von einem außerordentlichen Urlaub, den er aus unbekannten Gründen mitten im Semester angetreten hatte. Wenige Wegstunden von Erfurt entfernt, bei Stotternheim, hatte ihn ein schweres Gewitter überrascht, ein Blitz fuhr so dicht neben ihm in den Boden, daß er von dem Luftdruck ein paar Meter weiter geschleudert wurde. Voll Schreck rief er: *Hilf, heilige Anna, ich will ein Mönch werden!*

Dieses Gelöbnis an die heilige Anna, die Patronin der Bergleute, war, wie auch immer man es im einzelnen erklären mag, der Abschluß eines längeren inneren Ringens. In der Zeit der Muße, die ihm nach bestandener Magisterprüfung und vor Antritt der neuen Studien gegönnt war, hat sich dieses Ringen in einer für Luther ganz kennzeichnenden Weise kundgetan. Er hat, wie er selbst berichtet, viel unter der tentatio tristitiae, der Versuchung zur Traurigkeit, gelitten: der Angst um seine Sünden.

Es ist sein Gewissensernst, der ihn auch veranlaßt, trotz aller gegenteiligen Ratschläge an dem einmal gegebenen Gelübde festzuhalten. Am 16. Juli hat er alles so weit geordnet, daß er seinen Freundeskreis zu einem letzten Zusammensein bei sich haben kann; in der Frühe des folgenden Tages geleitet ihn die Kumpanei an die Pforte des Schwarzen Klosters der Augustiner-Eremiten. Es war ihm ernst mit seinem Entschluß; das ist alles, was wir wissen. Dieser Ernst führte ihn nun in einige der schwersten inneren Kämpfe seines Lebens.

Ein Intermezzo von eigentümlicher Art bildete Luthers Reise nach Rom, die vom Herbst 1510 bis zum Frühjahr 1511 dauerte. Der Anlaß war eine Anordnung des Generals des Ordens, Egidio Canisio von Viterbo. Dieser hegte den Wunsch, die Vertreter der laxeren Mönchsrichtung zur Annahme der seit langem angestrebten Reformen zu bewegen und die in der letzten Zeit bereits reformierten, ein neues Erscheinungsbild bietenden Kongregationen mit den alten zusammenzuschließen. Staupitz, der zum Provinzial der Ordensprovinz Sachsen aufgerückt war, hatte diesen Auftrag übernommen, aber zunächst nicht auszuführen gewagt. Als er jetzt an seine Verwirklichung ging, stieß er auf den Widerspruch gerade der strengen, in sich erneuerten Kongregationen, und besonders die beiden einflußreichsten Klöster dieses Kreises, Nürnberg und Erfurt, blieben dabei. Die Erfurter schickten den gelehrten Pater Dr. Nathin und als seinen Socius Itinerarius, wie es die Regel vorschrieb, den Pater Luther. So kam Martin Luther lediglich als Reisebegleiter eines älteren, würdigeren Ordensbruders nach Rom.

Erstaunlich ist nun, welchen Niederschlag dieses Ereignis in seinem Leben gefunden hat. Die Vorstellung, hier habe sich der erste dramatische Zusammenstoß zweier Welten vollzogen, ist leider völlig abwegig. Luther hat später zwar erzählt, daß er an dem berühmten Punkt an der alten Via Cassia, wo man die Ewige Stadt zuerst vor Augen hatte, mit dem Ausruf niedergesunken sei: Sei gegrüßt, heiliges Rom! Aber bei näherer Betrachtung ergibt sich, daß man die Erinnerungen, die der ältere Luther beiläufig im Gespräch über seine Romreise geäußert hat, mit kritischer Distanz beurteilen muß. Nach allem, was man rückschauend erschließen kann, scheint festzustehen, daß die Romreise für ihn, vor allem für seine reformatorische Entwicklung, nicht die Bedeutung eines einschneidenden Wandels gehabt hat.

Denn er war zuerst völlig durch die Verhandlungen an der Kurie in Anspruch genommen. Das Zentrum der römischen Kirche war in jenen Monaten schlecht besetzt. Der Papst hielt sich an irgendeiner Kriegsfront auf; von den Kardinälen weilten nur zwei in Rom, einer von ihnen schwerkrank. Nicht einmal den für ihre Angelegenheit zuständigen Secretarius der Kurie werden die beiden deutschen Mönche getroffen haben. Die Verhandlungen waren, wie es bei Behörden so zu gehen pflegt, langwierig und verliefen zunächst ohne greifbares Ergebnis.

Luther hatte also Zeit, in der heiligen Stadt seine Beobachtungen zu sammeln. Was er später zu berichten hatte, war verblüffend genug. Rom machte damals fast den Eindruck einer Landstadt. Ohne allen Zweifel war in Erfurt viel mehr los als in Rom, ebenso in

Papst Julius II. auf der Sedia Gestatoria. Zeichnung von Raffael

Nürnberg und Augsburg. Diese deutschen Städte waren blühende Metropolen, verglichen mit der «Ewigen Stadt», bei der die Ruinenfelder größer waren als das Wohngebiet! St. Peter, die neue große Zentralkirche der Christenheit, war in den allerersten Anfängen; Luther erwähnt sie nicht einmal. Was er an Eindrücken überliefert, erweist ihn als einen mittelalterlichen Mönch, der nach dem Brauch seines Standes alle Heilsmittel der Ewigen Stadt in Anspruch nahm, der alle berühmten Kultstätten, vor allem die mit Ablaß versehenen, loyal und zugleich gläubig besuchte, der sich für die Predigtweise und die gottesdienstliche Praxis des römischen Klerus interessierte, sichtlich mit äußerst negativem Ergebnis, und der ein erstaunliches Desinteressement gegenüber der aufblühenden Kunst der Renaissance an den Tag legte. Wir haben keine einzige Bemerkung, die ein echtes Verhältnis zu dieser neuen Kunst vermuten läßt. Schon in Florenz, das damals eine Blütezeit erlebte, beschäftigte ihn zwar das Schicksal des Savonarola, aber noch mehr die karitative Tätigkeit jener Adligen, die sich in persönlichem Dienste Kranken und Armen widmeten; von Michelangelos «David» sagt er kein Wort! Man muß

zu Luthers Entlastung hinzufügen, daß die neu aufblühende Kunst der Renaissance das äußerliche Antlitz Roms noch kaum verändert hatte. Was sie an Schönheit hervorgebracht hatte, war um jene Zeit noch in erster Linie im Innern der Häuser und Höfe zu sehen. Er hat sich an dem üblichen Frömmigkeitsleben beteiligt, ohne Besonderes zu sehen und zu hören und ohne bei irgend jemandem besondere Aufmerksamkeit zu erregen. Für seine Rundgänge diente ihm der Pilgerführer jener Tage, die «Mirabilia urbis Romae». Man muß seiner späteren Versicherung glauben, daß er ihn nicht benutzt hat, um die Sehenswürdigkeiten Roms auf sich wirken zu lassen, sondern um keine jener heiligen Stätten auszulassen, an denen er mit dem zeremonialen Eifer seines innerlich unruhigen Lebens Vergebung und Ablaß suchen konnte. Daß er sie gefunden habe, hat er zwar später immer wieder geleugnet; vermutlich war der Seelenzustand, in dem er diese heiligen Stätten aufsuchte, der eines normalen, im Mittelalter lebenden, noch dessen religiösen Überzeugungen verhafteten Menschen.

So erstaunt es denn nicht, daß er eine ganze Reihe von Beobach-

tungen nicht gemacht hat, die man hätte vermuten können. Daß er weder vom Papst noch von der Kurie irgendeinen wesentlichen Eindruck gehabt hat, lag, wie schon berichtet, daran, daß der päpstliche Hof gar nicht in Rom war. Irgendeine führende Gestalt der damaligen katholischen Kirche hat er nicht gesehen. Selbst der Eindruck der Heiligtümer, die er gewissenhaft absolvierte, zum Beispiel die sieben Hauptkirchen, die man unter totalem Fasten der Rei-

Links:
Petersplatz, Vatikan und
alter St. Peter. Zeichnung
von Maarten van Heemskerk

Bild auf der folgenden Doppel-
seite: Die alte Peterskirche im
Abbruch. Zeichnung von
Maarten van Heemskerk

he nach besuchen mußte, ehe man zur Kommunion in St. Peter zugelassen war, litt unter dieser geistigen Vielgeschäftigkeit. Der gewissenhafte Deutsche wirkte dabei auf die hurtigen Italiener plump und ungeschickt, während die italienischen Priester *so sicher und so fein rips raps konnten Messe lesen, als trieben sie ein Gaukelspiel.* Neben der unverhüllten Ungläubigkeit dieser Priester hat ihm am meisten das Tempo mißfallen, mit dem sie die Messe absolvierten, und die Ungeduld, die dem Fremdling gegenüber in dem ständigen Zuruf zum Ausdruck kam: «passa, passa» – mach schnell, mach schnell!

Der Temperamentsunterschied zwischen Italienern und Deutschen war begreiflicherweise eine seiner wesentlichen Beobachtungen. Luther hat zwar empfunden, daß die Italiener höflicher und feiner, lebhafter und beweglicher als die aus dem Norden kommenden Menschen seien; aber er hielt sie auch für schlauer und verschmitzter und hat vor allem an ihrer ostentativen Geringschätzung echter Frömmigkeit Anstoß genommen. Nach seiner Meinung können es von den Deutschen nur die Niedersachsen und Niederländer an Verschmitztheit mit ihnen aufnehmen, ja sie werden, wenn sie sich in Italien niederlassen, noch schlechter als die schlechtesten Welschen: tedesco italizzato e diavolo incarnato.

Betrüblich scheint für den heutigen Beobachter, daß er über die heraufziehende Kunst der Renaissance kein Wort verliert. Aber auch Erasmus, der ein Jahr zuvor in Rom gewesen war und die päpstlichen Gemächer besuchen konnte, hat weder Michelangelo noch Raffael erwähnt. Es war eben erst eine im Aufbruch befindliche Kunst. Obwohl Luther ohne allen Zweifel selber ein Mensch der Renaissance war, hat er doch nicht das Bewußtsein gehabt, einer Epoche neuer, großer Kunst entgegenzugehen – aber von welchem Mitlebenden wird man das sagen können? Es ist eine eigentümliche Fügung, daß in den Uffizien in Florenz, mitten unter den großartigen Werken der Renaissance-Malerei, sich auch das kleine, erlesene, saubere und klare Porträt Luthers befindet, das Cranach gemalt hat. Den wesentlichsten Teil seiner Reiseerinnerungen machen später realistische Beobachtungen aus, wie sie der Sohn aus bäuerlichem Geschlecht zu machen pflegt, der Land und Leute nüchtern auf ihren praktischen Wert abzuschätzen gelernt hat. Imponierend ist, daß er kein Wort über die unbestreitbaren Strapazen dieser Reise verliert. Die beiden mönchischen Brüder waren nach der Regel gezwungen, zu Fuß zu reisen. Das Wetter ist nach allen Berichten, die wir besitzen, um jene Zeit unerfreulich und schlecht gewesen. In Rom hat es bis in den Februar hinein unaufhörlich in Strömen geregnet. Dazu kam der Hin- und Rückmarsch über die winterlichen Alpen. Der Reisende erwähnte auch später kein Wort von der physischen Leistung, die von diesen beiden Mönchen vollbracht wurde.

Der Psychologe aber kann nicht umhin, hinzuzufügen, daß Luther sich noch völlig in jenem Lebensstadium befand, das als schöpferische Verborgenheit bezeichnet werden muß.

Wer viel einst zu verkünden hat,
schweigt viel in sich hinein.
Wer einst den Blitz zu zünden hat,
muß lange Wolke sein.

Luther lebte noch in jenem Abschnitt, in dem die Eindrücke gesammelt, gleichsam gestapelt und für die spätere explosive Lebensleistung aufbewahrt wurden. Es ist nicht selten, daß große schöpferische Geister eine längere Zeit der geistigen Vorbereitung und Zurüstung brauchen als die hurtigen Karrieremacher.

Diese eigentümliche Zurückhaltung Luthers gegenüber dem Rom der beginnenden Hochrenaissance hat aber noch eine tiefere Bedeutung. Es ist nicht möglich, ihn in erster Linie oder gar nur ausschließlich als Produkt der Renaissance zu verstehen. Wenn wir es nicht aus seiner großen Auseinandersetzung mit Erasmus wüßten, müßte schon sein Verhalten in Rom deutlich machen, daß er nicht dem Strom einer geistesgeschichtlichen Entwicklung folgte, sondern daß ihm anderes auferlegt war als nur eine geistesgeschichtliche Erneuerung.

DIE GEBURTSSTUNDE DER REFORMATION

Luther war 1511 nach Wittenberg gekommen, zum zweiten Male. Sein Orden, vor allem der Generalvikar Johannes von Staupitz, eine durch Adel des Geistes und des Blutes gleichermaßen ausgezeichnete Natur, ein gütiger, überlegener, seelsorgerlich befähigter Kirchenfürst, dem Luther zeitlebens eine hohe Dankbarkeit bewiesen hat, setzte große Erwartungen auf den jungen Bruder Martinus, dessen reiche Begabung schon früh erkennbar gewesen sein muß.

Dieser hatte zuerst im Winter 1508 stellvertretend an der Wittenberger Universität gelesen, war dann aber durch seine Ordensoberen nach Erfurt zurückgerufen und endlich 1511 wieder nach Wittenberg entsandt worden, um diesmal endgültig die bisher von Staupitz verwaltete Professur als Doktor der Theologie zu übernehmen. Bei seinem Weggange von Erfurt scheint es nicht ohne einige unerquickliche Auseinandersetzungen mit seinen Ordensbrüdern und vielleicht auch einigen der dortigen Oberen abgegangen zu sein; offensichtlich hatte der früh zur Bedeutung Aufgestiegene Neider. Daß er Wittenberg nicht wieder verlassen und daß er diese unansehnliche Kleinstadt von höchstens zweitausend Einwohnern, die nach seinen eigenen Worten *an der Grenze der Zivilisation* lag, zum Orte weltgeschichtlicher Entscheidungen machen würde, ahnte damals niemand.

Am wenigsten Luther selbst. Denn sein Sinn war seit längerem von schweren Anfechtungen erfüllt. Wir wissen, mit welchem ungeheuren Ernst er in seinen Klostertagen die Frömmigkeitsübungen betrieb, die die mittelalterliche Kirche dem Menschen anbot, wenn er um das Heil seiner Seele besorgt war. Luther, der das Mönchtum noch ganz als die Zuflucht der Seele verstand, die ihm das ewige Heil gewährleisten sollte, hat das alles mit beispiellosem Ernste geübt. Keine der wirklich zahlreichen frommen Übungen, keine der vielen Gelegenheiten zur Selbstprüfung und Erlangung der kirchlichen Absolution konnte ihm genügen, da es bei ihm um eine jener Entscheidungen ging, bei denen das äußere Maß der Bemühungen fast gleichgültig ist, weil es um eine neue Art zu leben geht. So hat es ihm auch nichts genützt, daß er etwa die Beichte mit dem radikalen Ernst seiner Seelenzergliederung erfüllte; mehr als einmal hat er, nachdem er eben gebeichtet hatte, schon wenige Minuten darauf wieder irgendeinen priesterlichen Ordensbruder am Ärmel festzuhalten versucht, um ihm aufs neue zu beichten. Was ihm die mönchische Frömmigkeit sonst an Mitteln bot, Bibel und Brevier, theologische und andere Arbeit, alles hat er mit den gleichen bohrenden Ernst erfüllt und auf den einen unsichtbaren Mittelpunkt seines inneren Existenzkampfes ausgerichtet; denn er war wie ein Mensch, der durch alle Feuer der Hölle hindurchgehen muß. Er war ein Kämpfer des Glaubens und Geistes, das ist wahr – aber ein Leidender, der – so wenig die geistigen Formen seines Kampfes das heute er-

Wittenberg. Zeitgenössischer Stich

Johannes von Staupitz. Anonymes Gemälde.
Salzburg, Erzabtei St. Peter

kennen lassen – den Glaubenskampf der folgenden Jahrhunderte
vorwegnahm und stellvertretend bestand; noch in dem tragischen
Ringen Nietzsches leuchten die Spuren jenes Kampfes um Gott auf,
den Luther bestanden hat. Er durchlitt, was wenige Lehrer der Christenheit nachher aus eigener Erfahrung so haben beschreiben können wie er – die Anfechtung. Worin bestand sie?

Nicht in irgendeiner vordergründigen «Not», also nicht etwa in
sexuellen Schwierigkeiten des Mönchs – wir wissen, daß Luther auf
diesem Gebiete nie sonderlichen Kämpfen ausgesetzt war; auch nicht
in irgendeinem intellektuellen Zweifel, der etwa aus der gedanklichen
Unvereinbarkeit des werdenden neuen Weltbildes mit dem bibli-

Luther als Mönch mit Doktorhut. Kolorierter Holzschnitt.
Einzelblatt. Bretten, Melanchthon-Museum

schen Weltbilde entstanden wäre – das ist moderne Interpretierung und berührt die eigentliche Tiefe der Not Luthers gar nicht. Seine Anfechtung lag viel tiefer. Sie griff seine gesamte Existenz an. Es war die Frage, ob er überhaupt vor Gott bestehen könne. Er empfand, daß er verloren sei, wenn er hier keine Antwort fand. Das war die Anfechtung: einerseits Glauben nur als Werk und Gabe des von außen auf den Menschen einwirkenden göttlichen Tuns und Handelns – andererseits erlebte er ihn doch als unmittelbar persönliche Erfahrung. «Aus diesen Antinomien gibt es keine Flucht in den katholischen Ordo oder ins innere Licht des Schwärmers.» (W. Pauck)

Für Luther kleidete diese Frage sich in das Rätsel von «Gottes Gerechtigkeit». Zwar war in der Nacht, in die seine Zweifel ihn stürzten, einige Male ein tröstliches Licht aufgeleuchtet; Staupitz hat ihm mit einigen unvergessenen tröstlichen Worten geholfen. Er hat Luther zuerst gesagt, daß die Anfechtung zu einem richtigen Christenleben hinzugehöre, er hat ihn von der religiösen Skrupulosität, de schlimmsten Feindin des wahren Bußernstes, wegzuführen versucht, indem er ihn den Unterschied zwischen ernsthaften und eingebildeten Sünden beachten lehrte, er hat vor allem das Bild Jesu Christi für den ringenden Luther zu einer Quelle des Trostes zu machen versucht. Und welche theologische und seelsorgerliche Weisheit spricht aus dem Wort, mit dem er das geängstete Gemüt des jungen Mönches tröstete: Nicht Gott grollt Euch – Ihr grollt Gott!

Aber die endgültige Befreiung von seinen Glaubenskämpfen vermochte auch Staupitz ihm nicht zu bringen; es kann wohl kaum zweifelhaft sein, daß die kultivierte, aber eben doch auch wieder sehr zurückhaltende, fast leidenschaftslose Art Staupitzens bei aller Güte und Weisheit doch den Radikalismus des Lutherischen Kampfes nicht begriff. Er mußte seinen Weg allein zu Ende gehen. Die wissenschaftliche Arbeit, die sich manchmal als Trost und Ablenkung erwiesen hatte, stürzte ihn nun in immer neue Abgründe; er wußte, daß er ohne eine Lösung seines Ringens nicht nur nicht wissenschaftlich arbeiten und lehren, sondern einfach nicht mehr leben konnte.

Er hat uns selbst den Tag beschrieben, der ihm Antwort gab. Noch heute ist es ergreifend zu lesen, wie der alt gewordene Reformator ein Jahr vor seinem Tode, im Vorwort zum ersten Bande seiner gesammelten lateinischen Werke, von dieser Stunde spricht. Der Schimmer einer überweltlichen Freude leuchtet über den Zeilen, die in der Geschichte der Kirche den großen Bekenntnisblättern zuzurechnen sind, auf denen große Christen die Stunde ihrer Gottesbegegnung aufgezeichnet haben: Augustinus' Konfessionen mit der Schilderung der Stunde im Garten zu Mailand, als ihm über dem Römerbrief die Erkenntnis des Heils aufging, und Pascals berühmtes «Memorial» vom November 1654.

Luther schreibt: *Wiewohl ich als ein untadeliger Mönch lebte, verspürte ich doch unruhigen Gewissens, daß ich vor Gott ein Sünder sei, und daß ich mich nicht darauf verlassen könnte, durch meine eigene Genugtuung versöhnt zu sein. Ich liebte nicht nur nicht – nein, ich haßte den gerechten Gott, der die Sünder straft. Nicht gerade mit stummer Lästerung, sicherlich aber mit unermeßlichem Murren entrüstete ich mich über Gott und sprach: als ob es nicht genug sei, daß die elenden Sünder, die auf ewig durch die Erbsünde verloren seien, mit aller nur denkbaren Not durch das Gesetz der Zehn Gebote bedrückt wären, habe Gott noch durch das Evangelium Schmerz auf Schmerz hinzugefügt und durch das Evangelium selbst uns seine Gerechtigkeit und seinen Zorn angedroht. So tobte ich in meinem wilden und verwirrten Gewissen und bemühte mich ungestüm um jene Stelle bei Paulus, von der ich brennend gern gewußt hätte, was St. Paulus wolle.*

Bis Gott sich erbarmte, und ich, der ich Tag und Nacht nachgedacht hatte, den Zusammenhang der Worte begriff, nämlich: Gerechtigkeit Gottes wird offenbart in dem, was geschrieben steht: der Gerechte wird aus Glauben leben. Da fing ich an, die Gerechtig-

AMORE ET STVDIO ELVCIDANDAE

ueritatis hæc fubfcripta difputabunť Vuittenbergæ, Præfidête
R.P.Martino Luther, Artiũ & S. Theologiæ Magiftro, eiufdemcþ ibidem lcẳore Ordinatio. Quare peťit ut qui non poffunt uerbis præfentes nobifcum difceptare, agant id literis abfentes. In nomine domini noftri Iefu Chrifti. Amen.

ʃ   Ominus & Magifter nofter Iefus Chriftus, di
             cendo pœnitentiã agite &c.omnem uitam fi
             delium,pœnitentiam effe uoluit.

ij   Quod uerbũ pœnitentia de pœnitentia facra
             mentali(.i. confeffionis & fatiffactionis quæ
             facerdotum minifterio celebratur) non po
   teft intelligi.

iij   Non tamen folã íntẽdit interiorẽ:immo interior nulla eft, nifi
      foris operetur uarias carnis mortificationes.

iiij   Manet itacþ pœna donec manet odium fui(.i.pœnitentia uera
      intus)fcilicet ufcþ ad introitum regni cælorum.

v   Papa non uult nec poteft, ullas pœnas remittere: præter eas,
      quas arbitrio uel fuo uel canonum impofuit.

vj   Papa nõ poteft remittere ullam culpã,nifi declarãdo & appro
      ban.do remiffam a deo.Aut certe remittẽdo cafus referuatos
      fibi,quibus contẽptis culpa prorfus remaneret.

vij   Nulli prorfus remittit deus culpam,quin fimul eum fubijciat
      humiliatum in omnibus facerdoti fuo uicario.

viij   Canones pœnitentiales folũ uiuentibus funt impofiti:ñihílcþ
      morituris,fecundũ eofdem debet imponi.

ix   Inde bene nobis facit fpirituffanctus in Papa: excipiẽdo ín fu
      is decretis femper articulum mortis & neceffitatis.

x   Indocte & male faciũt facerdotes ij ,qui morituris pœnitẽtías
      canonicas in purgatorium referuant.

xj   Zizania illa de mutanda pœna Canonica ín pœnã purgato
      rij,uidentur certe dormientibus Epifcopis feminata.

xij   Olim pœnæ canonicæ nõ poft,fed ante abfolutionem ímpo
      nebantur,tancþ tentamenta ueræ contritionis.

Aus Luthers 95 Thesen (Buchfassung)

keit Gottes zu verstehen, durch die der Gerechte als durch ein Geschenk Gottes lebt, nämlich aus Glauben heraus. Und daß dies der
Sinn sei: daß durch das Evangelium Gerechtigkeit Gottes offenbart
werde, nämlich eine passive, durch die Gott uns in seiner Barmherzigkeit durch Glauben rechtfertigt, wie geschrieben steht: der Gerechte
soll aus Glauben leben. Hier spürte ich, daß ich völlig neu geboren
sei, und daß ich durch die geöffneten Pforten in das Paradies selbst
eingetreten sei, und da erschien mir von nun ab die Schrift in einem
ganz anderen Licht. Ich eilte durch die Schrift hindurch, wie es mein
Gedächtnis hergab und verglich in anderen Wörtern die Analogie,
daß nämlich das Werk Gottes das ist, das Gott in uns tut, die Kraft
Gottes, durch die er uns mächtig macht, die Weisheit Gottes, durch

LEO DECIMUS

BULLÆ INDULGENT

O Jhr Teutschen, merkt mich recht,
Des heiligen Vater Pabsts Knecht
Bin ich, und bring euch ich. allen
Zehntausend und Neunhundert Kärnen
Gnad und Ablaß eurer Sünd,

Vor euch, eure Aeltern, Weib und Kind,
Soll ein jeder. gewähret seyn,
So viel er legt. ins Kästel ein.
So bald der Gülten im Becken klingt,
Jm Huy d.e S.el in Himmel sich schwingt.

Zeitgenössisches Flugblatt zu Tetzels Ablaßhandel

die er uns weise macht, die Stärke Gottes, das Heil Gottes, die Ehre Gottes.

Und so sehr ich vorher die Vokabel Gerechtigkeit Gottes gehaßt hatte, so viel mehr nun hob ich dieses süße Wort in meiner Liebe empor, so daß jene Stelle bei Paulus mir zur Pforte des Paradieses wurde.

Da sich Luthers Arbeitszimmer, die Stätte dieser Entscheidung, wahrscheinlich im Turm des Schwarzen Klosters zu Wittenberg befand, nennt man diese Stunde das «Turmerlebnis». Und da die Spuren des neu gewonnenen Schriftverständnisses verhältnismäßig bald in seiner damaligen Vorlesung über die Psalmen auftauchen, kann man auch die Zeit, in die es fällt, mit einiger Sicherheit bestimmen.

Es muß im Wintersemester 1512/13, vielleicht im Frühjahr 1513 gewesen sein.

Dies also ist die Geburtsstunde der Reformation. Ohne das Turmerlebnis gäbe es weder die berühmte Thesenverkündigung noch den Reichstag zu Worms. Aus dem Ringen eines Einzelnen um Gott ist der gesamte Aufbruch der neuen Zeit geboren.

Wunderbar, wie ein geistlicher Frühling, ist denn auch alles, was Luther in den ersten stillen Jahren nach dieser neugeschenkten Erkenntnis lehrt. Noch standen nicht die Schatten der Berühmtheit zwischen ihm und der Welt. So strömte nun die neue Erkenntnis in seine Disputationen und Vorlesungen über den Römer- und Galaterbrief reich und kräftig hinein. Die Geburtsstunde einer neuen Zeit hat geschlagen, aber für ein paar Jahre geschieht nichts anderes, als daß sich ein theologisches Weltbild verwandelt, weil ein Christ aus seinen Anfechtungen durch die befreiende Erkenntnis von der Gnade Gottes in Christus erlöst ist.

Einige seiner schönsten Schriften und Disputationen entstehen jetzt. So gehen den weltgeschichtlich gewordenen Thesen vom 31. Oktober 1517 andere, vom September desselben Jahres, vorauf, die sich zwar der Form und dem Titel nach gegen die scholastische Theologie richten, die aber inhaltlich ganz durch den wiedergeschenkten großen Trost von der Gnade Gottes bestimmt sind und von daher auch die theologische Methode erneuern. In einigen Briefen der frühesten Zeit, die von einer wunderbar süßen und kräftigen Gewalt geistlichen Trostes sind, klingt dieser neue Ton; und noch über jene geschichtliche Wasserscheide hinüber, die ihn über Nacht zum berühmtesten Manne Deutschlands macht, die Thesen vom 31. Oktober 1517, wirkt dieser Glanz der ersten Zeit in jenen anderen Thesen, die wohl die theologisch bedeutsamsten jener Zeit sind – der Heidelberger Disputation von 1518. In ihnen – nicht in ihnen allein, aber in ihnen in besonderer Weise – kommt jene theologische Revolution zum Vorschein, die sich aus Luthers grundlegender neuer Erkenntnis ergeben hatte.

In Jesus Christus dem Gekreuzigten ist die wahre Theologie und Gotteserkenntnis.

Daß in der Tat in jener geheimen Stunde im Turmzimmer des Schwarzen Klosters zu Wittenberg die Geburtsstunde der Neuzeit geschlagen hat und daß sich hier das Gesetz von dem verborgenen Walten Gottes in der Geschichte besonders deutlich kundtut, wird sofort klar, wenn man das Turmerlebnis Luthers mit seiner aufsehenerregenden Thesenverkündigung vergleicht.

Das Ablaßunwesen, die Verwandlung der Buße – jener tiefsten und heilsamsten Erfahrung des Menschen vor Gottes Angesicht, die Luther in seinem Turmerlebnis selber gemacht hatte – in eine käufliche Angelegenheit, war Luther mit vielen anderen längst mißfällig geworden. Als er aber als Pfarrer und Seelsorger jener Wittenberger Gemeinde, der er neben seiner Professur zu dienen hatte, immer häufiger auf die häßliche Auswirkung dieser Angelegenheit stieß,

Martin Luther, 1520. Kupferstich von Lucas Cranach d. Ä.

als ihm, wenn er auf echte Buße drang, jene Zettel entgegengehalten wurden, durch die der Mensch angeblich Buße und Ablaß, das heißt Erlaß der sogenannten Höllenstrafen, vor allem des Fegefeuers, erkaufen konnte, entschloß er sich zum Handeln. Es ist kennzeichnend, daß er nicht an einen weithin hallenden öffentlichen Protest, sondern zuerst an so etwas wie eine akademische Aktion dachte. Um das öffentliche kirchliche Urteil zu klären, wählte er den Weg einer wissenschaftlichen Disputation über die *Kraft der Ablässe*. Der Ablaß gehörte nicht zu den Fragen, die durch das katholische Dogma bereits «definiert», also verbindlich festgelegt waren; es stand also die theologische Diskussion über sie jedem akademischen Lehrer frei. So verfaßte Luther eine Reihe von Thesen und lud, akademischem Herkommen gemäß, zur Disputation über sie ein. Da sie für das Gespräch unter Theologen und Kirchenmännern bestimmt waren, erschienen sie in lateinischer Sprache.

«Und diese schlug er öffentlich an die Kirche, welche an das Schloß zu Wittenberg stößt, am Tage vor dem Feste aller Heiligen im Jahre 1517.» So hat es Melanchthon 1546 in seiner Vorrede zum zweiten Band der lateinischen Schriften Luthers geschildert. Luther hat also durchaus daran gedacht, sozusagen unter Ausschluß der Öffentlichkeit zu handeln; es war die akademische Öffentlichkeit, an die er sich wandte, und der geordnete kirchliche Weg, den er beschritt.

Zur angekündigten Disputation meldete sich niemand. Etwa vierzehn Tage war es überhaupt totenstill um die Thesen. Doch es war nur die Spanne, die zwischen dem Hineinschleudern des Funkens in die Ladung und der Explosion selbst verging.

Dann brach der weltgeschichtliche Sturmwind los. Luther hatte nach einigem Zögern an etliche seiner Freunde einen Abdruck gesandt; ganz ohne sein Einverständnis, ja wahrscheinlich gegen seinen Willen sorgten diese für die Verbreitung, und in einer für die damalige Zeit unvorstellbaren Schnelligkeit eilten die Blätter durch Deutschland. Kein Geringerer als Albrecht Dürer sandte damals dem ihm völlig unbekannten Mönche zum Zeichen seiner Zustimmung einige seiner Kupferstiche und Holzschnitte, und wie er dachten Un-

Ablaßhandel. Ausschnitt aus einem Flugblatt von Hans Holbein d. J.

Verhör Luthers durch den Kardinal Cajetan. Zeitgenössischer Holzschnitt

zählige. Der Sturm fegte mit solcher Wucht durch Deutschland, daß er Luther selbst den Atem zu benehmen drohte. Er spürte mit einem Schlage, daß er mit seinem Schritt nichts weniger versucht habe, als *gegen den Himmel anzustürmen und die Welt in Brand zu setzen*, und je mehr die Wirkung widerhallte und je weitere Kreise die Thesen zogen, um so mehr empfand er die Wucht des nun heraufziehenden weltgeschichtlichen Kampfes: *Das Lied wollte meiner Stimme zu hoch werden*. So war aus der einzelnen Tat Luthers, die seinem theologischen und seelsorgerlichen Gewissen und seiner neugewonnenen biblischen Erkenntnis entsprang, schließlich doch das geworden, was er nie geahnt oder beabsichtigt hatte: der Anlaß zu einer entscheidenden geschichtlichen Wende.

Um das ganz deutlich zu erkennen, müssen wir uns noch zweierlei klarmachen.

Luther selbst hat in dem allen einfach seinen persönlichen Weg im Gehorsam und Glauben weiterverfolgt. Was ihm in seinem Turmerlebnis über das Wesen der Gnade Gottes und die göttliche Vergebung aufgegangen war, vertrug sich weder grundsätzlich noch praktisch mit dem, was unter den Händen der Ablaßhändler aus der Buße geworden war. Mit erstaunlicher Klarheit entwickelte er nun seinen theologischen Einspruch gegen dies Unwesen, aber er tat es so, daß damit die gesamte Frömmigkeit, ja die gesamte Heilslehre der spätmittelalterlichen Kirche an ihrem entscheidenden Punkte getroffen wurde. Und indem zugleich diesen Thesen eine ganz unerwartete Wirkung in die Weite zuwuchs, gewann dieser Angriff Luthers ein öffentlich-geschichtliches Gewicht, das ihn über alle Reformbestrebungen der voraufgegangenen Zeit in einer einzigartigen

Worms. Holzschnitt von Sebastian Münster

Luthers Vorladung nach Worms durch Karl V., 1521

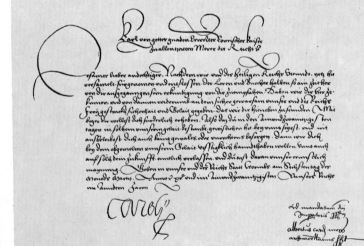

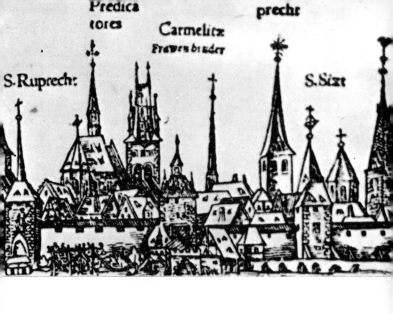

S. Ruprecht:

Predica tores

Carmelitz Frawen bruder

precht

S. Sixt

Luther vor dem Reichstag in Worms. Zeitgenössische Buchillustration

Intitulenur libri

hie stehe ich/ ich kan nicht anders
Got helffe mir Amen.

Kaiser Karl V. Gemälde von Barent van Orley, kurz vor dem Reichstag von 1521 entstanden

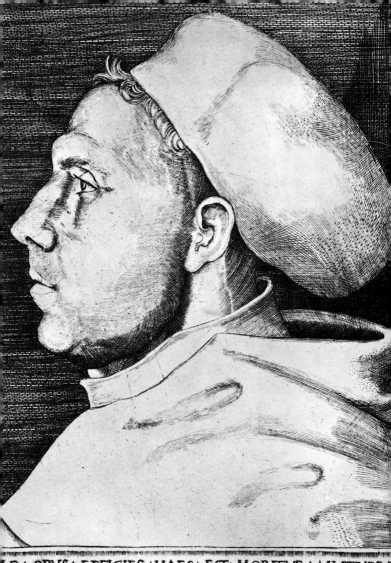

AE ✦ OPVS ✦ EFFIGIES ✦ HAEC ✦ EST ✦ MORITVRA ✦ LVTHERI
ETHERNAM ✦ MENTIS ✦ EXPRIMIT ✦ IPSE ✦ SVAE ✦

M·D·X·X·I·

Martin Luther mit Doktorhut. Kupferstich von Lucas Cranach d. Ä., 1521

Weise hinaushob. Es ist wirklich so: Aus seiner Glaubenserfahrung wuchs auch diese seine weltgeschichtliche Tat heraus. Er hat nicht eine weltgeschichtliche Tat tun wollen; er hat keine einzige seiner «Taten» so getan, daß er dabei nach Macht strebte – zeitlebens hat er eine überlegene Verachtung der äußeren Macht bewiesen: von außen gesehen als ein Genie, das der äußeren Mittel brutaler Gewalt nicht bedarf, tatsächlich aber, weil sein Glaube an Gottes Handeln in der Welt sein ganzes Tun bestimmte. Und nur indem er hier der ihm von Gott geschenkten Wahrheitserkenntnis gehorsam folgte, wurde er auf seinen großen geschichtlichen Weg geführt. Es bleibt dabei: aus der Glaubenserfahrung eines Einzelnen ist die Neuzeit geboren.

Es ist beinahe rätselhaft, mit welcher Blindheit Rom die Anfänge dieser geschichtlichen Wende übersah. Daß Luthers guter, aber wahrscheinlich höchst unbedeutender Bischof Hieronymus Schulze von Brandenburg keinen Anlaß zum Einschreiten sah, sondern sich auf ein harmloses, aber völlig wohlwollendes Zustimmungsschreiben beschränkte, als Luther ihm pflichtgemäß zuerst von seinem Schritt Mitteilung gemacht hatte, wiegt vielleicht nicht schwer, ebensowenig wie die Tatsache, daß der Erstbetroffene, der vielbeschäftigte und vielverdienende Albrecht von Mainz, den Luther ebenfalls pflichtschuldigst sofort unterrichtet hatte, es seinen Räten überließ, nach der bei weltlichen und kirchlichen Kanzleien beliebten Methode zu verfahren, die Eingabe vorerst auf irgendwelchen Schreibtischen liegenzulassen – erstaunlich ist und bleibt die Tatsache, daß Rom sehr lange gebraucht hat, um die Tragweite dieses Vorganges zu begreifen und eigentlich erst 1518 in Augsburg durch den Kardinal Cajetan den ersten Versuch einer einigermaßen theologisch begründeten Auseinandersetzung mit Luther unternahm. Man wird sich schwerlich dem Eindruck verschließen können, daß diese gewisse Verblendung nur ein Zeichen dafür war, daß Rom für dies Gericht der Geschichte reif war, in dessen Verlauf das halbe Europa sich von ihm abwenden sollte.

WORMS

Es gibt nur wenige Augenblicke, in denen ein Höhepunkt der Weltgeschichte mit einem Höhepunkt der Kirchengeschichte zusammenfällt. Auf dem Reichstag zu Worms ist das am 17. und 18. April 1521 geschehen, und die Welt hat ein Recht, diesen Tag als das Symbol einer weltgeschichtlichen Wende ersten Ranges anzusehen.

Wie sah dieser Tag für den Beobachter aus?

Wer am 16. April 1521 in Worms war, konnte sich dem Eindruck nicht entziehen, daß etwas Bedeutsames in der Luft lag. Die Stadt, damals noch ein mittleres Städtchen von rund siebentausend Einwohnern, war mit Besuchern überfüllt. Der junge Kaiser war da, dem sich zum mindesten die freundliche Neugier des Volkes zuwandte, die

Fürsten des Reiches waren ungewöhnlich zahlreich versammelt, und der päpstliche Nuntius Aleander, einer der wenigen Männer, denen die Tragweite dieses Ereignisses bewußt war, sandte vor Aufregung eine Depesche nach der anderen nach Rom und hat uns auf diese Weise eine reichhaltige, wenn auch nicht immer zuverlässige Quelle zur Kenntnis der Einzelheiten geliefert – aber sie alle waren nicht der Mittelpunkt der öffentlichen Anteilnahme.

Die öffentliche Aufmerksamkeit galt Martin Luther. Soweit es das damalige Nachrichtenwesen zuließ, hatte man den glorreichen Zug des Wittenberger Mönches durch die deutschen Lande verfolgt. Viele wußten, daß es ein langes diplomatisches Spiel um die Frage gegeben hatte, ob Luther überhaupt kommen sollte, um unmittelbar vor Kaiser und Reich zu erscheinen; wenige ahnten, mit welcher Zähigkeit Luthers kluger Kurfürst das persönliche Erscheinen Luthers verfochten und schließlich durchgesetzt hatte. Bis zur letzten Minute hatten die Päpstlichen alles getan, um das persönliche Auftreten des Wittenberger Augustiners in Worms zu hintertreiben; es hatte weder an unmißverständlichen Drohungen gefehlt, noch hatte das Volk das Schicksal des unglücklichen Jan Hus vergessen, der auf dem Konstanzer Konzil trotz eines kaiserlichen Geleitbriefes verbrannt worden war. Und als nun Martin Luther mit einer grandiosen Sicherheit sich allen diesen Erwägungen zum Trotz doch auf den Weg gemacht hatte, schlug ihm wegen dieses Glaubensmutes die helle Begeisterung des Volkes entgegen. Man erzählte sein Wort weiter: Wenn sie gleich ein Feuer machten, das zwischen Wittenberg und Worms bis an den Himmel reichte, weil er erfordert (vorgeladen) wäre, so wollte er doch im Namen des Herrn erscheinen und dem Behemoth in sein Maul zwischen seine großen Zähne treten und Christum bekennen und walten lassen. Man wußte, daß er eine im letzten Augenblick an ihn ergangene Warnung vom Hofprediger seines eigenen Kurfürsten zurückgewiesen hatte: *Wenn noch so viele Teufel zu Worms wären als Ziegel auf den Dächern, ich wollte doch hinein.*

So wurde die Reise, wie schon die Zeitgenossen berichteten, zum Triumphzug. Seine alte Universität Erfurt empfing ihn, der Rektor an der Spitze, mit großem Gepränge an der Stadtgrenze wie einen Fürsten, und in der übervollen Kirche seines Ordens predigte er am Sonntag Misericordias Domini über das Evangelium. Die Kirche war so voller Leute, berichtet ein Augenzeuge, «daß die Porkirche [die Empore] krachte und jedermann meinte, sie würde einfallen, darum auch etliche die Fenster ausschlugen und hinaus auf den Kirchhof gesprungen wären, wenn nicht Luther sie getröstet und gesagt hätte, sie sollten stillstehen, der Teufel mache sein Gespenst, sie sollten nur still stehen, es würde nichts Übles geschehen – wie denn auch kein Unfall geschah». Die Predigt, die uns aufbewahrt ist, darf man wohl als kennzeichnend für Luthers innere Haltung und Predigttätigkeit auf dieser ganzen Reise ansehen; es ist das Evangelium von der schenkenden Gnade Gottes, um das es ihm zu tun ist, und nur ganz nebenher steht ein Satz da, der auf den weltgeschichtlichen Anlaß der Reise Bezug nimmt: *Ich weiß wohl, daß man's nicht gerne hört. Dennoch will ich die Wahrheit sagen und muß es tun, sollte es mir zwanzig Hälse kosten, auf daß mir der Spruch nicht gesprochen werde.*

Nun waren am Morgen dieses 16. April schon früh zahlreiche Edelleute ihm entgegengeritten, und die Polizei der Stadt Worms, dargestellt durch die Ratsdiener, hatte alle Hände voll zu tun, um die Volksmenge in Zaum zu halten, als das Trompetensignal vom Turm der Domkirche erscholl, das hohen Besuch anzukündigen pflegte; denn nun – es war gegen zehn Uhr morgens – zog Martin Luther wie ein Triumphator in die Stadt ein. Der Reichsherold Kaspar Sturm, der Überbringer des kaiserlichen Geleitbriefes, ritt dem kleinen, mit einem Schutzdach versehenen Reisewagen voraus, in dem Luther mit drei anderen Gefährten die weite Reise zurückgelegt hatte und der sich durch die tausendköpfige Menge nur langsam seinen Weg bahnen konnte.

Natürlich muß man die Volksstimmung, die Luther aus dieser Menge entgegenschlug und die aus Neugier, Begeisterung und Sensationslust gleichermaßen gemischt gewesen sein wird, einen Augenblick lang kritisch überdenken. Waren alle die Leute, die da die Straße säumten, von der Glut einer neuen Erweckung gepackte Christen? Es wäre selbstverständlich naiv, so etwas zu meinen. Für Ungezählte war Luther damals der Brennpunkt, in dem sich die dumpfe, unter der Oberfläche immer vorhandene, ständig wachsende nationale Empfindung sammelte. Als wenige Jahre vorher Erasmus auf seiner Deutschlandreise den Rhein entlang zog, schlug ihm schon die Glut dieser Begeisterung entgegen, und er nahm sie mit einer gewissen Verwunderung auf. Denn er wußte besser als die leicht begeisterten Deutschen, daß er nur ein irrtümliches Objekt dieser Begeisterung war. Erst in Luther fand dieses nationale Empfinden ernsthaft sein Objekt, und wenn man dies bedenkt, scheinen alle die recht zu haben, die aus der deutschen Reformation in erster Linie ein national-deutsches Anliegen machen. Aber wenngleich es wohl wenige Tage deutscher Geschichte gegeben hat, an dem das nationale Empfinden so unmittelbar aufbrach wie an diesem Tage in Worms, so darf man doch das Wesentlichste nicht übersehen: Dies Empfinden hat sich hier ganz um ein Anliegen des Glaubens gesammelt. Weil aber hier eine Glaubensentscheidung fiel, die für die ganze künftige Geschichte der Nation Bedeutung hatte, darum reicht ihre Geltung auch in die europäische Geschichte hinüber.

Luther ist zweimal vor den Reichstag getreten. In der niedrigen Hofstube der bischöflichen Residenz erschien er am späten Nachmittag des 17. April. Der Reichsmarschall Ulrich von Pappenheim und der Reichsherold Kaspar Sturm hatten ihn gegen vier Uhr abgeholt und wegen des unvorstellbaren Gedränges in den Straßen auf verborgenen Wegen nach dem Bischofssitz geleitet, wo der Reichstag tagte. Aber erst gegen sechs Uhr kam seine Angelegenheit zur Verhandlung und damit der Augenblick, da er wirklich und wörtlich

Der Reichsherold Kaspar Sturm. Zeichnung von Albrecht Dürer, 1521.
Aus dem Tagebuch der Niederländischen Reise

vor «Kaiser und Reich» trat. Es ging aber sehr kurz und formalistisch bei dieser ersten Begegnung zu, und die Stunde selbst trug kaum ein historisch bedeutsames Gepräge. Zwar von den beiden geschichtlichen Hauptpersonen, Karl und Luther, können wir uns auf Grund zeitgenössischer Darstellungen ein sehr genaues Bild machen. Der kaiserliche Jüngling, der schon jetzt seine Lebensaufgabe darin sah, «alle seine Reiche und Herrschaften, seine Freunde, Leib und Blut, Leben und Seele für die Erhaltung des katholischen Glaubens und der römischen Kirche einzusetzen», und der schon aus diesem Grunde in Luther nichts anderes als einen Ketzer sehen konnte, dessen tiefstes Anliegen er so wenig verstand wie seine Sprache (ein deutscher Kaiser, der kein Deutsch verstand!), dieser jugendliche Kaiser sah damals noch blasser aus als im späteren Leben, und das habsburgische Kinn trat stärker und entstellender hervor als später, da den Kaiser eine unverkennbare Würde kennzeichnete. Luther aber zeigt auf dem Kupferstich des Lucas Cranach aus dem gleichen Jahr 1521 ein kräftiges Profil mit einer festen Stirn, mächtig gewölbten Augenbogen und einer Kinn- und Mundpartie, die von Entschlossenheit geprägt ist. Was aber in diesem Gesicht das Auffallendste war, hat nie eines Malers Stift festzuhalten vermocht: den Glanz der dunklen Augen, die von den einen als dämonisch und von den anderen als strahlend empfunden wurden. Ein Zeitgenosse erwähnt, daß sie «blitzeten und zwitzerlten wie ein Stern, also daß sie nicht recht konnten angesehen werden». Aber die Vertreter der fremden Mächte, die wie viele der deutschen Fürsten den weltberühmten Wittenberger Augustinermönch hier zum ersten Male sahen und eine Sensation erwarteten, wurden enttäuscht. Der Offizial des Erzbischofs von Trier, Dr. Johann von der Ecken, war beauftragt, Luther die beiden Fragen vorzulegen, ob er sich als den Verfasser der vor ihm liegenden Bücher bekenne und ob er bereit sei, sie ganz oder teilweise zu widerrufen. Nach der Feststellung der Titel bejahte Luther die erste der beiden Fragen, im zweiten Falle bat er sich Bedenkzeit aus, die ihm nicht gut abgeschlagen werden konnte. Nachdem ihm eröffnet war, daß er bereits am anderen Tage zu antworten haben werde, und zwar frei, ohne Manuskript, wurde er auch schon wieder abgeführt. Da er – vermutlich auf den Rat des Kurfürsten von Sachsen oder seiner Räte – sehr leise gesprochen hatte, um nicht unziemlich zu erscheinen, war es nicht verwunderlich, daß die ihm weniger Wohlgesonnenen ihn für eingeschüchtert hielten und daß überhaupt die Gegner, die durch sein unerschrockenes Kommen zuerst «wie vom Donner gerührt» gewesen waren, rasch den Eindruck gewannen, daß diese Sache leicht und mühelos erledigt werden würde.

Am anderen Tage war, da das Gedränge immer mehr wuchs, der große Saal der bischöflichen Pfalz für die Verhandlungen gewählt worden, der aber so überfüllt war, daß selbst die Fürsten stehen mußten. Es war wieder gegen sechs Uhr, als man begann, und da es inzwischen schon dunkel geworden war, wurden die Fackeln angezündet. Wieder eröffnete Dr. Ecken das Verhör, und diesmal antwortete Luther ausführlich auf die zweite Frage, ob er bereit sei, Stellen aus seinen Büchern zu widerrufen. Seine Rede war kurz, klar und mit kräftiger Stimme in deutscher Sprache vorgetragen; sie hat wohl kaum mehr als zehn Minuten ausgemacht. Auf Aufforderung wiederholte er die Rede sofort in lateinischer Sprache. Er bekannte sich zu seinen Büchern, die er in drei Gruppen einteilte: erbauliche Schriften, Bücher gegen das Papsttum, Streitschriften gegen Einzelne. An dem Widerruf der ersten Gruppe könne niemandem gelegen sein. Aber auch seine Schriften gegen die Tyrannei des Papsttums, unter der gerade die *hochberühmte deutsche Nation* so schwer leide, könne er nicht zurücknehmen, und auch die dritte Gruppe nicht. Aber er bitte jedermann bei der Barmherzigkeit Gottes, ihn aus der Heiligen Schrift eines Besseren zu belehren, wo er sich im Irrtum befinde. Nur so könne auch der Zwietracht ernstlich gewehrt werden, die ihm hier vorgehalten sei. Denn man könne sie ja nicht aus der Welt schaffen, daß man damit anfange, das Wort Gottes zu verdammen. Das würde ein schlechter Anfang für die Herrschaft des jungen Kaisers sein, auf den alle so große Hoffnung setzten.

Da diese Rede nicht nur eine schroffe Ablehnung, sondern auch die Bereitwilligkeit, sich mit sachlichen biblischen Gründen belehren zu lassen, enthielt, fanden sich die Fürsten, die sofort danach zu einer Sonderberatung zusammentraten, in einer schwierigen Lage. Sie konnten ein solches Anerbieten nicht einfach übergehen, aber noch weniger konnten sie sich auf eine Glaubensdisputation über solche Fragen einlassen, die nach der offiziellen Kirchenmeinung bereits widerlegt waren, und gerade der Kaiser war dazu nicht bereit. So

Friedrich der Weise, Kurfürst von Sachsen.
Kupferstich von Albrecht Dürer, 1524

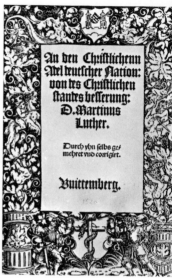

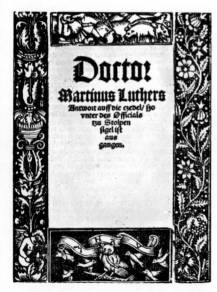

Titelblätter von Schriften
Luthers aus dem Jahre 1520

ergab sich der Kompromißbeschluß, Luther noch einmal zu befragen, ob er zu einem Widerrufe willig sei. Als Ecken in der Vollversammlung diese Frage Luther erneut vorlegte, gab er jene Antwort, die ihn und den Reichstag so berühmt gemacht hat; er sagte auf lateinisch:

Da Eure kaiserliche Majestät und Eure Herrlichkeiten eine schlichte Antwort begehren, so will ich eine solche ohne alle Hörner und Zähne geben: Wenn ich nicht durch Zeugnisse der Schrift und klare Vernunftgründe überzeugt werde – denn ich glaube weder dem Papst noch den Konzilien allein, da es am Tage ist, daß sie des öfteren geirrt und sich selbst widersprochen haben –, so bin ich durch die Stellen der Heiligen Schrift, die ich angeführt habe, überwunden in meinem Gewissen und gefangen in dem Worte Gottes. Daher kann und will ich nichts widerrufen, w e i l w i d e r d a s G e w i s s e n e t w a s z u t u n w e d e r s i c h e r n o c h h e i l s a m i s t. Und dann fügte er auf deutsch jenes Stoßgebet der Landsknechte hinzu, mit dem er oft seine Predigten zu schließen pflegte – wohl weil er sich der Tragweite seiner Ablehnung völlig bewußt war: *Gott helf mir, Amen.*

Als er bald darauf, nach kurzem Wortwechsel mit Dr. Ecken, auf einen Wink des Kaisers wieder hinausgeführt werden sollte, entstand in dem Gedränge plötzlich ein Tumult, weil einige deutsche Edelleute glaubten, daß er verhaftet und in den Kerker gebracht werden sollte. Als Luther sie durch Zuruf beschwichtigt hatte, drängten sie ihm fröhlich nach und reckten, wie es beim Siege im Lanzenkampf üblich war, die Arme hoch und spreizten die Finger. Dasselbe tat Luther, als er in seiner Herberge, dem Johanniterhof, wieder angelangt war und rief dabei froh: *Ich bin hindurch, ich bin hindurch!*

Das ist der Tag von Worms, wie ihn die Nachwelt im Gedächtnis behalten hat.

Sie übersieht dabei, daß für Luther einige Tage folgten, die im Grunde viel schwerer waren als die beiden Tage des Verhörs. Denn nun setzte hinter den Kulissen das Spiel der privaten Verhandlungen und Besprechungen ein, die darauf abzielten, Luther doch in irgendeiner Form zum Einlenken zu bewegen. Da es zu einem Teil sehr ehrenwerte und gelehrte Männer waren, die diesen Versuch unternahmen, und da nun nicht herrisch, sondern überredend mit ihm umgegangen wurde, ja da nun auch das Spiel der hohen Politik hinüberwirkte mit dem für die «Realpolitiker» allezeit so vertrauten Beweisgrund, daß man vor allem die Einheit aufrechterhalten müsse, war es für Luther, der in diesen Besprechungen im Grunde genauso allein gelassen wurde wie in· den beiden entscheidenden Tagen des Verhörs, nicht leicht, sich zu behaupten. Aber die beiden Hauptbeteiligten blieben in diesem Spiele doch fest – Martin Luther und der Kaiser. So kam es dann schließlich zu jenem Schluß, der immer unvermeidlicher geworden war: am 25. April erschien Dr. Ecken zusammen mit dem kaiserlichen Sekretär Siebenbürger im Johanniterhof, um Luther im Auftrage des Kaisers in lateinischer Sprache zu eröffnen, daß der Kaiser, da alle Ermahnungen nichts genutzt hätten, nunmehr als Vogt der römischen Kirche gegen ihn vorgehen müsse. Sein Geleit gelte noch für weitere drei Wochen, das Predigen und Schreiben habe er sofort einzustellen. Luther, der sich für wenige Minuten der Gebetsstille zurückgezogen hatte, antwortete mit dem Dank an Kaiser und Stände, daß sie ihn gehört hätten. Er sei bereit, für Kaiser und Reich alles zu erleiden, auch den Tod und die höchste Unehre. Aber die freie Verkündigung und Bezeugung des Wortes Gottes müsse er sich immer vorbehalten.

Tags darauf, am Morgen des 26. April, verließ er mit zwei Reisewagen durch das Martinstor die Stadt, ohne viel Aufsehen zu erregen.

Auf dem Heimwege wurde er am 9. Mai unweit Eisenach von kursächsischen Reitern «überfallen» und auf die Wartburg gebracht, wo er dem Zugriff feindlicher Gewalten entnommen und damit zugleich jener heiligen Muße überlassen war, aus der als eine der schönsten Früchte seiner gesamten Lebensarbeit die Übersetzung der Heiligen Schrift, des Neuen Testamentes, erwuchs.

1525 – Jahr der Scheidungen und Entscheidungen

Ein Reformationshistoriker aus der Zeit vor dem Ersten Weltkrieg hat über das Jahr 1525 geurteilt: Luther erreicht den Gipfelpunkt seiner Größe. Dies Urteil wird man nicht ohne sorgfältige kritische Prüfung aufrechterhalten können. Zwar bildete dies Jahr den Wendepunkt in Luthers persönlicher Entwicklung und der der Reformation. In seinem Schrifttum und in seiner Lebensführung vollzieht er jetzt die endgültige Loslösung vom Mittelalter; er hat seine «Identität» gefunden, wie die Psychologen sagen würden. Auf der anderen Seite ist 1525 das Jahr des Bauernkrieges. Die Haltung, die Luther in dieser Zeit blutigen Aufruhrs einnahm und die er in einigen heftigen publizistischen Äußerungen zur politischen Lage aussprach, hat ihn einen hohen Preis gekostet, nämlich den Verlust seiner bis dahin einzigartigen Volkstümlichkeit. Die Monate Mai und Juni 1525 sind so zu der einsamsten Zeit in Luthers Leben geworden.

Eine gewissenhafte Geschichtsschreibung darf im Falle Luthers nichts beschönigen. Der Aufstand der Bauern war vermutlich ebenso gerechtfertigt wie in seinen Exzessen unentschuldbar. Daß ihm ein tiefes soziales Recht zugrunde lag, wird heute von niemandem mehr bestritten. Der Aufstand begann, örtlich sehr verschieden stark, mit den Zwölf Artikeln der Bauernschaft zu Schwaben, einem Dokument, das mit einfacher Würde christliche Gedankengänge entfaltet. Die Flamme des Aufruhrs würde sich nicht so rasch über Deutschland verbreitet haben, wenn nicht ein tieferes geschichtliches Recht dahinter gestanden hätte. Die Fürsten, die dabei eine klägliche Rolle spielten, waren zuerst von Furcht wie gelähmt. Noch hinterher hat Martin Luther wiederholt ihre klägliche Haltung in Wendungen gebrandmarkt, die heute nicht als literaturfähig gelten können: ... *die-*

Die Wartburg bei Eisenach. Stich von Wilhelm Richter, 1690

selbigen Scharrhansen, die jetzt Gott seine Ehre rauben, rühmen und brüsten sich, als hätten sie es ausgerichtet, waren zur selbigen Zeit solche verzagte Schelmen, als ich mein Tage nicht gesehen habe. Jetzt vergessen sie Gottes, der sie dazumal errettet, da sie doch so schändlich in die Hosen schissen, daß es noch stinket, wo ein Scharrhans gehet oder stehet. Die Rittermäßigkeit hatte leider dazumal weder Herz noch Mut. Erst in letzter Stunde rafften sie sich auf und hielten nun ein furchtbares Strafgericht, nachdem sie in der Schlacht bei Frankenhausen (15. Mai 1525) das Heer der Bauern vernichtend geschlagen hatten. Für kurze Zeit war Deutschland in Blut getaucht. Die Truppen der aufrührerischen Bauern hatten, zum Teil auf entsetzliche Weise, die Reihe der Gewalttaten begonnen; die Fürsten nahmen blutige Rache. Thomas Münzer, den die Bauern an Stelle Luthers sich zum Führer erkoren hatten, wurde in Frankenhausen gefangengenommen und enthauptet.

Luthers Haltung in diesen furchtbaren Auseinandersetzungen ist oft beschrieben und in aller Regel zu seinen Ungunsten dargestellt worden. Wer die blutige Episode des Bauernkrieges in allen ihren Zusammenhängen überdenkt und die handelnden Gestalten in dieses grausame Bild einzuzeichnen versucht, der wird immer dazu neigen,

87

Links: Die Lutherstube auf der Wartburg. Fotografie

Rechts: Luther als Junker Jörg. Stich von Lucas Cranach d. Ä.

Die Erstausgabe von Luthers Übertragung des Neuen Testaments. Sie erschien im September 1522, ohne Nennung des Übersetzers und des Druckers

Das Newe Testa-
ment Deutzsch.

richte mich herr und fure mein meine sache, und
der das untrewlige volck

und errette mich von den falschen und bösen leuten

Denn du bist der gott meiner stercke, warumb verstössestu
mich und lessestu mich so traurig gehen wenn mich der feind
engstet

Sende dein liecht und deine warheit das sie mich leiten
und bringen zu deinem heyligen berge und zu deiner wonung

Das ich hyneyn gehe zum altar gottes zu dem gott der meine
freude und wonne ist, und dir auff der harffen dancke
Gott mein gott

Was betrübst du dich meine seel und bist so unruhig ynn
mir harre auff gott. denn ich werde ihm noch dancken das er
heil meynes angesichts

Ein unterweisung der kinder Korah vorzusingen

Gott wir haben mit unsern oren gehört, unser veter
habens uns erzelet, was du thon hast zu ihren zeiten
vor alters

Du hast mit deiner hand die heyden vertrieben und sie ge-
pflantzet

Du hast die völcker verderbet und sie ausgestossen

Denn sie haben das land nicht eyngenomen durch ihr schwerd
und ihr arm halff ihn nicht

Sondern deyne rechte, dein arm und das liecht deins angesichts
denn du hattest gefallen an ihnen

Du bist mein könig Gott
der du Jacob hilffe verheissest

in Thomas Münzer den konsequenteren, vielleicht auch den in viel stärkerem Maße heroischen Akteur zu sehen. Münzer, der wie alle Enthusiasten in geistigen Dingen viel radikaler war, kann nicht nur den Ruhm für sich in Anspruch nehmen, als erster eine völlig konsequente deutsche Messe durchgeführt zu haben; er hat auch, wiederum wie alle Utopisten bis hin zu Tolstoj, viel konsequenter als Martin Luther den Versuch gemacht, die Regeln der Bibel in das politische, und das heißt in seinem Falle in das sozialrevolutionäre, Gebiet zu übertragen. Man wird ihm auch zugestehen müssen, daß er bis zuletzt dieser seiner Überzeugung treu geblieben ist. Und wenngleich sich die letzten Tage und Stunden dieses «Theologen der Revolution» (Bloch) für die Geschichte im Dunkel verlieren, verdienen doch unter den erhaltenen echten oder apokryphen Berichten diejenigen Glauben, die von seinem unbeirrten Weg auf das Schafott berichten. Es ist kein Zweifel, daß Thomas Münzer, wie alle solche sozialen Radikalisten, für den Augenschein die bessere Figur machte als Martin Luther.

Denn wie läßt sich dessen Haltung erklären? Für die nach sozialer Erneuerung drängenden Bauern war er der geistige Führer; er hat ihnen mäßigend zugeredet und die Fürsten dabei in bitteren Wendungen kritisiert; hat sie dann aber in ebenso massiven Wendungen an das erinnert, was er für ihre obrigkeitliche Pflicht hielt, um ihnen später immer wieder ihre elende Furcht vorzuhalten – wie nahe liegt die Vermutung, daß Martin Luther seines Weges eben nicht gewiß gewesen sei, wie das Ernst Bloch in der schwärmerischen Diktion seines Frühwerkes über Münzer ausgeführt hat («Thomas Münzer als Theologe der Reformation». Berlin 1922; 2. Aufl. Frankfurt a. M. 1960).

Aber das Gleichgewicht des geschichtlichen Urteils wird am einfachsten hergestellt, wenn wir die simple Frage stellen: Konnte Luther anders handeln, wenn er sich treu bleiben wollte? Er hatte nur einen einzigen Maßstab: Gottes Wort. An ihm hat er die Bauern gemessen wie die Fürsten. Man soll es nicht wegdisputieren, daß er den Mut gehabt hatte, das soziale Unrecht zu geißeln, das den Bauern widerfuhr; nicht um dieses Unrechts willen hat er sich von ihnen gewandt, sondern um der zum Teil grauenhaften Gewalttaten willen, die er mit eigenen Augen sah. Mit der gleichen Schärfe der Erkenntnis und der Sprache hat er hinterher klargemacht, daß die Niederwerfung des Aufstandes zwar, vom Worte Gottes her, als eine gerechte Strafe der Bauern verstanden werden mußte, aber daß sie darum noch längst nicht eine Rechtfertigung der Fürsten und Herren war. Das menschliche Schicksal Münzers, mit dem er ja seit dem Jahre 1519 in sehr guter Beziehung stand und den er selbst nach Zwickau empfohlen hatte, ist ihm' nahegegangen; einen ganzen Tag soll er sich eingeschlossen haben, als er von Münzers Ende erfuhr.

Manuskriptseite aus Luthers Bibelübersetzung (Psalm 43)

Aber der Unterschied in der Sache war tief. Nach einem Hinweis
von Ernst Bloch gibt es eine, vermutlich apokryphe, Schilderung
Melanchthons über den Bauernkrieg und Münzers Ende, in der –
immer nach Bloch – trotz der «redigierten Sprache... der rebelli-
sche chiliastische charakter indelebilis seines Wesens widerwillig und
aller Verleumdung, Domestizierung zum Trotz durchschimmert».
Daß Luther an explosiver Kraft dem radikalen Sozialrevolutionär
nicht nachstand, liegt am Tage; ist es eine unerlaubte Überbeto-
nung von Luthers Bedeutung, wenn
man der Meinung Ausdruck gibt, daß
er sich durch ein großartiges Wissen
um das rechte Maß von Münzers Zü-
gellosigkeit unterschied? Immer wieder ist an Luther die Versuchung des
Radikalismus herangetreten. Männer,
die sich für seine Schüler hielten, haben in jener Neigung zur Ausschließ-
lichkeit, die allen «Schwärmern» eigen

Gefangene Bauern. Holzschnitt 1523

*Aufständische Bauern umzingeln
einen Ritter. Holzschnitt, 1539*

ist, versucht, durch radikale Maßnahmen das gottesdienstliche Leben umzugestalten, die Messe abzuschaffen und einen neuen, nach ihrer Meinung evangelischen Gottesdienst einzuführen. Ohne allen Zweifel gehört zu den größten geschichtlichen Leistungen Luthers, dieses «Umsturzmenschen», daß er auf dem Höhepunkte revolutionärer Wandlungen eine erstaunliche, souveräne Fähigkeit zur konstruktiven Mäßigung bewiesen hat. Die Form des sonntäglichen Gottesdienstes hat er überhaupt nur an der einen Stelle geändert, die für ihn entscheidend war: die Einsetzungsworte der Abendmahlsfeier wurden nicht leise auf lateinisch, sondern laut auf deutsch rezitiert, weil sie den Kern seines theologischen Verständnisses der Messe betrafen. Alles übrige blieb unverändert. In allen sonstigen Fragen kirchlicher Formen entschied er in gleichem Sinn. In anderen, für die Öffentlichkeit bedeutsameren Lebensgebieten hat er noch entschlossener den Grundsatz verwirklicht, den er in seinen Predigten und öffentlichen Äußerungen häufig ausgedrückt hat: daß nämlich das bloße Einreißen vergangener Formen noch keine Legitimation eines geschichtlichen Auftrages sei. In seiner eigenen Sprache ausgedrückt, heißt das so: *So wird dich wahrlich dies auch zu keinem Christen machen, daß du die Klöster einreißest, Obrigkeit verachtest, dich voll und toll frissest und säufst.* Er hat damit die Möglichkeit

Thomas Münzer.
Kupferstich von Christoph von Sichem

eines organischen Wachstums erschlossen und durch diese Entscheidung den Charakter der Reformation bestimmt. Es ist nicht zu leugnen, daß die radikalen Entscheidungen der Schwärmer überzeugender und spektakulärer wirkten; daß die größere geschichtliche Leistung auf seiten Luthers ist, kann gar nicht bestritten werden.

Jedenfalls hat auch Luther den Maßstab des Wortes Gottes angewendet und ist zu anderen Resultaten gekommen als Münzer. Die Geschichte, auch die Geschichte der Kirche, wird immer das Nebeneinander der Radikalen und der Maßvollen kennen. Gefährlich wäre es nur, denen, die um das Maß wissen, einen geringeren Anteil an Kraft des Wollens und zur Entscheidung nachzusagen.

Die eigentliche Tragik Luthers liegt darin, daß er im Grunde außerhalb der eigentlichen Vorgänge lebte und in dieser Situation die

Macht seines Wortes überschätzte. Den politischen Vorgang selbst hat er mit einem naiven Eifer und nicht immer zielgerechter Empörung begleitet. Am schmerzlichsten ist, daß sein Wort, in einer bestimmten Situation konzipiert, angesichts der rasenden Schnelligkeit, mit der sich der Aufstand ausbreitete, fast immer zu spät kam. Bemerkenswert ist auf jeden Fall, daß er in seiner Haltung unerschüttert war und sich ebenso furchtlos gegen die Bauern wendete wie gegen die Fürsten. Daß er noch Jahre hinterher die Mutlosigkeit, ja Feigheit vieler Fürsten, die rechtzeitig zu Gerechtigkeit und Barmherzigkeit verpflichtet gewesen wären, kritisiert hat, bezeugt die geistige Unabhängigkeit, aus der heraus er urteilte. Bei einigem Bemühen ist es nicht schwer, trotz der Maßlosigkeit seiner Sprache sein Leitmotiv zu erkennen: er wird scharf, oft unmäßig scharf, wenn er den klaren Willen zur Zerstörung göttlicher Ordnungen sieht. Er geht mit den Fürsten hart um, wenn er beobachtet, daß sie aus Mangel an Mut ihre geschichtliche Aufgabe nicht wahrnehmen. Aber genausogut hat er sich ja für die Freiheit auch der Schwärmer, ihre Gedanken auszudrücken, verwendet, und ebenso sich dafür eingesetzt, daß ein Prediger niemals schweigen darf, wenn er Unrecht beobachtet. Er darf weder schweigen noch zustimmen, was immer auch die Kosten sein mögen. Es ist falsch, ihn den Propheten der Oberherren oder, wie es in der propagandistischen Diktion heißt, den «Fürstenknecht» zu nennen. Wenn er sich in jenem entscheidungsvollen Jahr so verhalten hat, wie er es tat, dann geschah es aus der Überzeugung heraus, daß er nicht die politische Geschichte neu anfangen könne, wie die führerlosen Enthusiasten es von ihm erwarteten. Man darf nicht vergessen, daß er zu den Vätern des europäischen Toleranzgedankens gehört und daß dieser «Reaktionär» einige der wesentlichen Vorstellungen für das Recht des Einzelnen und die Gleichberechtigung aller vor der öffentlichen Ordnung vertreten und damit einige unverlierbare Gesetze für die kommenden «europäischen Revolutionen» etabliert hat.

Daß in dieses Schicksalsjahr auch seine Heirat mit Katharina von Bora fällt, bedarf noch einer besonderen Erörterung. Dieser Entschluß wurde plötzlich gefaßt und verwirklicht. Mit diesem bewußten Schritt, der sicherlich in seiner Situation gegenüber der Öffentlichkeit viel Mut erforderte, hat er für sich persönlich das Mittelalter, das Mönchtum und die gesetzlichen Bindungen seiner Vergangenheit liquidiert. Unter den Begründungen, die Luther selbst dafür gegeben hat, treten zwei hervor. Er hat sich auf seinen Vater berufen, der besonders nach dem Tode seiner beiden anderen Söhne längst den Wunsch ausgedrückt hatte, Martin Luther möge heiraten und den Familiennamen erhalten. Es ist zu vermuten, daß solche elementaren Erwägungen dazu beigetragen haben, diese Entscheidung reifen zu lassen; das Ja zu dem Ehestand, den er selbst vielfach als einen göttlichen Stand gepriesen hatte, wurde nun auch von ihm vollzogen. Die andere Erwägung ist nicht minder aufschlußreich: Er hat diese Eheschließung unter eschatologischem Vorzeichen gesehen, weil

Martin Luther, 1526. Gemälde von Lucas Cranach d. Ä.
Stockholm, Deposition der Gemeinde Söderfors

*Katharina von Bora, Luthers Frau. Gemälde aus der Werkstatt
Lucas Cranachs d. Ä. Stuttgart, Schloßmuseum*

er mit der Möglichkeit seines nahen Endes rechnete. Denn die Ereig
nisse des Bauernkrieges hatten in ihm den Gedanken bestärkt, daß
er in Todesgefahr schwebe, was sicherlich keine Übertreibung war
So war es ein Ausdruck seines Glaubenstrotzes, daß er im Angesicht
solcher düsteren Möglichkeiten durch seine Ehe ein Ja zum Leben und
zu Gottes Ordnung zu vollziehen gedachte. Zugleich sollte das, wa
er tat, anderen ein Zeugnis sein, das sie in ihrem unsicheren Gewis
sen bestärkte. Daß, wie es bei großen Männern gelegentlich vorkom
men kann, Katharina von Bora an Luthers Entschluß selbst in frau
licher Entschiedenheit beteiligt war, verleiht dem ganzen Vorgang
unpathetische Natürlichkeit. Die Theorie, daß Luther schließlich doch
ausschließlich aus sexuellem Verlangen diesen Schritt getan habe
ist so wenig glaubhaft, daß sie kaum eines Wortes der Widerle
gung bedarf. Nicht nur die zeitlichen Umstände, sondern auch das
relativ vorgerückte Alter Luthers, der im zweiundvierzigsten Lebens
jahre sich zur Ehe entschloß, sprechen dagegen. Nicht unwichtig aber
ist auch die Gestalt der Frau, die er erwählte, oder die, wie manche
Hinweise vermuten lassen, ihn erwählte. Katharina von Bora, die
aus einem inzwischen verarmten alten sächsischen Adelsgeschlecht
stammte und die unter Luthers Zustimmung mit anderen Gefähr
tinnen das Kloster verlassen hatte, ist offensichtlich für Luther eine
ideale Lebensgefährtin gewesen. Ihre Ehe ist durch jene Mischung
von Zuneigung, Nüchternheit und Treue gekennzeichnet gewesen
die vielleicht die beste Voraussetzung einer dauerhaften Ehe ist. Nie
mand hat je in Zweifel gezogen, daß die Ehe glücklich war und daß
Katharina von Bora, die mit einem nüchternen wirtschaftlichen Sinn
begabt war, eine vortreffliche Verwalterin des immer größer wer
denden gastfreien Haushaltes wurde, in dem die Freude am Gespräch
und Musik waltete und in dem der Hausherr von einer fast rück
haltlosen Wohltätigkeit war. Daß sie zugleich eine durchaus eben
bürtige Partnerin in den geistigen Problemen des Hausherrn war
wird durch Luthers zahlreiche, beiläufige und darum besonders wich
tige Äußerungen in Briefen und Tischgesprächen erwiesen.

Daß Luther mit seinen Streitschriften zum politischen Problem des
Bauernkrieges in diesen ersten Monaten heftigen inneren und äuße
ren Mühen ausgesetzt war, versteht sich von selbst. Daß er aber da
neben die geistige Kraft besessen hat, einige seiner schönsten Erbau
ungsschriften und vor allem das monumentale Buch über den freien
Willen zu schreiben, muß mit Bewunderung erfüllen. Denn in die
sem, dem Gespräch mit dem Fürsten der Humanisten gewidmeten
Buche strömen die Kraft und die Fülle seiner Gedanken in einer bis
dahin ungewohnten Weise. Er nimmt den Anlaß auf; Erasmus hatte
vermutlich aus Berechnung, ein scheinbar entlegenes theologisches
Thema für die Auseinandersetzung, die von ihm erwartet wurde
gewählt: die Frage nach der Freiheit des Willens – in der Annahme
daß hierüber eine Polemik nicht möglich sei und daß Martin Luther
eine leichte Beute seiner scharfsinnigen Erörterung sein würde. Wie
aber Luther diesen Fehdehandschuh aufgreift, ist schlechthin souverän

Er treibt die Gedanken des Erasmus in einem kraftvollen ehernen Latein überall bis in die letzte gedankliche Konsequenz, um dann an einigen Höhepunkten dieser Schrift zu einem Geschichtsverständnis ohnegleichen zu kommen, zu einem Verständnis der Offenbarung Gottes in Christus und damit zu Aussagen über den Heilswillen Gottes in der für den Menschen so oft unverständlichen Geschichte und im Dunkel dieser philosophischen Problematik der Willensfreiheit. *De servo arbitrio* ist Luthers kräftigstes, reichstes und theologisch bedeutsamstes Buch.

Nur das Leben selbst schreibt Geschichte. Vorgänge, die scheinbar kaum etwas miteinander zu tun haben, drängen sich in diesem Schicksalsjahr 1525. Aber wenn man alles bedenkt, die mühevolle Auseinandersetzung im Bauernkrieg, mit den beiden Fronten gegen die Aufständischen wie die Fürsten, die Heirat, die schriftstellerische Produktion und das theologische Gespräch – dann begreift man noch einmal rückschauend das Urteil Theodor Briegers: «Er erreicht den Gipfelpunkt seiner Größe.»

Augsburg

Die klassische Periode der politischen Gestaltwerdung der Reformation ist das Jahrzehnt von 1521 bis 1530. Worms steht am Anfang, Augsburg bildet den ersten großen Abschluß. So interessant und wechselvoll auch die Geschichte der dazwischenliegenden Reichstage ist – etwa des Reichstages von Nürnberg 1523, auf dem der neue Papst Hadrian VI. ein Schuldbekenntnis der römischen Kirche ablegen ließ (was hätte daraus werden können, wenn diese geistliche Einsicht und Entschlossenheit den künftigen Weg der Kirche bestimmt hätte!), oder des zweiten Reichstages von Speyer 1529, der den Evangelischen den Namen Protestanten eintrug –, wir müssen uns auf den Reichstag von Augsburg beschränken.

Die Absicht des Kaisers, gegen die Reformation einzuschreiten, wurde durch die politischen Tagesnotwendigkeiten immerfort wieder durchkreuzt. Seine Außenpolitik, übrigens durchaus nicht immer von «nationaldeutschen» Rücksichten bestimmt, hat den Evangelischen oft genug eine unerwartete Atempause gewährt – jede von ihnen eine Bestätigung für den Glaubensmut Luthers, der es wußte und immer wieder bezeugte, daß auch die Machthaber der Erde nur von Gott aufgerufene und gelenkte Figuren auf der weltgeschichtlichen Bühne sind. Nach dem Ablauf des ersten Jahrzehnts reformatorischer Geschichte war die einfache Ausrottung der «Ketzerei» schon nicht mehr möglich. So wurde, wie in aller irdischen Geschichte, auch in der Reformation der göttliche Hintergrund aller Weltgeschichte deutlich erkennbar.

Nun sollte der für den Sommer 1530 nach Augsburg einberufene Reichstag die Klärung bringen.

Es ist für diesen Reichstag, den nach Worms geschichtlich be-

deutsamsten der ganzen Reformationsgeschichte, bezeichnend, daß Luther hier nicht als Handelnder im Vordergrund auf der Bühne der Geschichte stand, sondern die Vertretung und Sicherung seines Werkes anderen Händen überlassen mußte.

Das war die erste große Bewährungsprobe. Da Luther nicht in Person an den entscheidenden Beratungen in Augsburg beteiligt war, wurde nun auch vor aller Welt der Beweis erbracht, daß die Reformation nicht Luthers Privatanliegen war, sondern die ganze Christenheit betraf.

Da Luther dem Reichstage wegen der über ihn verhängten Reichsacht fernbleiben mußte, da selbst die sonst so tapfere Stadt Nürnberg ablehnte, ihn während des Reichstages zu beherbergen, da er infolgedessen auf der entfernten Veste Coburg nur von weitem die Ereignisse verfolgen konnte, gehört dieser Reichstag in die Biographie Luthers nur mittelbar hinein. Er wurde laufend unterrichtet – für seinen lebhaften Geist viel zu selten und viel zu langsam; er wurde um Rat gefragt – für seine brennende Anteilnahme viel zu wenig und oft viel zu spät; aber die göttliche Weltlenkung hatte für diesen Teil des reformatorischen Werkes andere Werkzeuge als ihn erwählt.

Luther selbst hat es auch nicht anders angesehen. Bei aller Ungeduld seines Urteils hat er doch, soweit wir sehen können, sich in keinem Augenblick von den Gefährten getrennt, die in Augsburg die Last des Kampfes zu tragen hatten, vor allem nicht von dem herzlich geliebten Freunde Melanchthon.

Da nicht nur das «Volk» die anschauliche Heroisierung und die entsprechenden schematischen Urteile nach der anderen Seite hin liebt,

*Der sogenannte Fronhof in Augsburg.
In diesem Teil des bischöflichen Palais
(Haus in der Mitte mit Erker) fand die
Verlesung der Augsburgischen Kon-
fession statt. Kupferstich von Simon
Grimm, 1680*

sondern da auch gelehrte Männer
solchem schablonenhaften Urteil verfallen können, ist über Melanchthons
Haltung auf dem Reichstag zu Augsburg viel Unsinn geschrieben worden. Im allgemeinen kommt das
landläufige Urteil darauf hinaus, daß
Melanchthon an die Stelle des uner-
schrockenen Glaubensmutes Luthers
in Worms die ängstliche Taktik und
das diplomatische Spiel gesetzt habe.
Dazu muß aber in aller Kürze ein
Doppeltes gesagt werden.

Zuerst: Luther hat ganz offen-
kundig dies Urteil nicht gebilligt. Wohl hat er in unvergeßlichen
Briefen den zagenden und zögernden Freunden in Augsburg kühnen Glaubensmut ins Herz zu geben versucht; aber man darf seinen
Trost nicht in einen Tadel umfälschen, im Gegenteil – es ist ein schöner Erweis der menschlichen Größe Luthers, daß er die Eigenart
Melanchthons einfach gelten ließ. Sein berühmtes Urteil über die
Confessio Augustana, die Melanchthon nach langwierigen Verhandlungen politischer und theologischer Art abschließend in seinem edlen,
durchsichtigen Latein formuliert hatte, darf nicht mißverstanden werden: *Ich hab M. Philipsen Apologia überlesen: die gefällt mir fast*
(= sehr) *wohl und weiß nichts dran zu bessern noch ändern, würde
sich auch nicht schicken, denn ich so sanft und leise nicht treten kann.*
Das war nicht Ironie, sondern die neidlose Anerkennung des Freundes und seiner Arbeit. Das abschließende Urteil Luthers über Augsburg ist denn auch so positiv wie möglich. Er hat es immer wieder als
einen Anlaß zur Dankbarkeit im Blick auf diesen Reichstag gerühmt,
daß das Wort geblieben ist und wir bei dem Wort.

Zweitens: Melanchthon hat es von Anfang an für seine Pflicht gehalten, das Seine zu tun, um den der Christenheit drohenden Zwie-
spalt nicht zu einem endgültigen zu machen. Daher nahm er die
günstige Wendung des kaiserlichen Einladungsschreibens auf, der
«eines jeden gutdünkenden Opinion und Meinung» zu hören begehr-
te. Und der gesamte Ton seines theologischen Gutachtens diente dem
Nachweis, daß die Evangelischen nicht eine neue Kirchengründung
vollzogen hätten. Ursprünglich hatte er daher nur über die Abstel-
lung kirchlicher Mißbräuche reden wollen, und nur die Tatsache, daß

Philipp Melanchthon
Kupferstich von Albrecht Dürer

die Gegenseite in ihrer Verblendung den dogmatischen Riß in aller
Schärfe betonte, veranlaßte ihn, auch über die Artikel des Glaubens
und der Lehre zu reden, die nachher das Augsburgische Bekenntnis
zu der klassischen Urkunde des Protestantismus gemacht haben. Aus
einem ähnlichen Grunde hatte der sächsische Kurfürst Johann der
Beständige (Friedrich der Weise war 1525 gestorben) die Arbeit Melanchthons und seiner Freunde zunächst nur als sächsisches Gutach-
ten verstanden wissen wollen, und es hat die übrigen Fürsten und
Städte nicht geringe Mühe gekostet, zu jener Mitunterzeichnung
zugelassen zu werden, die der Confessio, als sie tatsächlich vor dem
Reichstag verlesen wurde, den Rang eines öffentlichen Bekenntnis-
ses gab. Der Kampf der Gegenseite brachte es weiter mit sich, daß
die Evangelischen darauf bestehen mußten, ihre Glaubensurteile öffentlich zu Gehör zu bringen. Und so ertrotzten sie durch ihr tap-
feres Verhalten die feierliche Verlesung, die am 25. Juni 1530 vor

Kaiser und Reich stattfand. So war, mehr durch den Widerspruch der Gegner als durch den Willen der Evangelischen selbst, die Confessio Augustana zur ersten öffentlichen Äußerung ihres Glaubens geworden.

Überreichung der Augsburgischen Konfession, 1530.
Zeitgenössischer Kupferstich

Bild auf der folgenden Doppelseite: Luther mit den Reformatoren. Gemälde von Lucas Cranach d. J. Ehemals Nordhausen, St. Blasii-Kirche (im Zweiten Weltkrieg zerstört). Aus Achtung vor seiner wissenschaftlichen Leistung ist auch Erasmus in die Gruppe aufgenommen worden.

Das so vielfach mißdeutete Verhalten Melanchthons aber hat der Reformation einen Ruhmestitel eingetragen: Sie hat bis zuletzt um die Aufrechterhaltung der Glaubenseinheit des Abendlandes gerungen.

Es muß ausdrücklich festgestellt werden, daß Luther diesen Willen seines Freundes Melanchthon durchaus hat gelten lassen. Nur an einem Punkt hat er anders geurteilt; er war überzeugt, daß diese Einheit nicht mehr aufrechtzuerhalten war. Darin hat er das klarere geschichtliche Urteil bewiesen. Und alle Sorge, die an das religiöse Auseinanderbrechen des Abendlandes geknüpft war und die einem humanistischen Geiste und Erben der großen gemeinsamen abendländischen Tradition wie Melanchthon nicht gleichgültig sein konnte, hat er als irdische Sorge erklärt; war es Gottes Wille, daß er seine Christenheit in solche Beschwernis führte, so würde auch Gottes Hand seine Kirche unter allen künftigen geschichtlichen Gestaltungsformen erhalten können.

Das oben erwähnte oberflächliche Urteil ist auch insofern ein Unrecht, als es die Schärfe und Klarheit der Glaubensentscheidungen der Confessio Augustana ungebührlich herabsetzt. So ist, nur um ein Beispiel zu nennen, Artikel fünf über das Predigtamt, richtig verstanden, eine bis heute gültige Absage an den Hierarchismus der römisch-katholischen Kirche, und der letzte Artikel «von der Bischöfe Gewalt» ist eine in der Sprache gemäßigte, in der Sache völlig klare Unterscheidung zwischen geistlicher und weltlicher Gewalt, die bis auf diesen Tag nichts an Bedeutung eingebüßt hat.

Luther ist in der Zwischenzeit auf der Veste Coburg nicht müßig gewesen. Die Ungeduld, die diesen feurigen Geist in der Ferne und Abgeschiedenheit überkommen mußte und die sich in nicht immer gerechtfertigten Urteilen über mangelnde Unterrichtung durch die Freunde entlud, ist ebenso verständlich wie der ständige Versuch, das Seine zu tun, um den Glauben der Brüder in Augsburg zu stärken. Diesem Willen verdanken wir einige der herrlichsten Zeugnisse seines Glaubens.

Vor allem seine Briefe aus dieser Zeit sind eine Quelle von Glaubenstrost und Glaubenstrotz.

Am 2. Oktober 1530, zwei Tage vor seinem Aufbruch von der Veste Coburg, hat er noch einmal abschließend in einer Predigt über alles das gesprochen, was seinen Glauben im Rückblick auf den Augsburger Reichstag bewegte. Kaiser und katholische Reichsstände hatten die Confessio abgelehnt, und die Apologie, die das Augsburgische Bekenntnis gegen die Einwände der Gegner schützen sollte, hatte der Kaiser nicht einmal mehr entgegengenommen. Aber die werdende lutherische Kirche bedurfte dieses öffentlichen Schutzes schon nicht mehr. Darum sagt Luther in dieser Predigt: *Wollen sie uns gnädig sein, so seien sie es in Gottes Namen; wo nicht, so mögen sie es wohl lassen – was fragen wir darnach? Der Himmel ist ja größer denn die Erde, so wird sich's auch kaum so verkehren, daß die Erde soll den Himmel regieren; haben sie etwas im Sinn, so müs-*

*sen sie zuvor unsern Herrgott drum fragen, ob's ihm auch recht sei;
ist's ihm nicht recht, so laß sie vornehmen und ratschlagen, was sie
wollen, so steht geschrieben: «Der im Himmel wohnet, lachet ihrer,
und der Herr spottet ihrer» und wird zuletzt auch unter sie schmei-*
ßen. Denn es ist der Gott, der die Welt aus dem Nichts gerufen hat,
der die Toten lebendig macht und dem, was nicht ist, ruft, daß es
sei (Röm. 4, 17). Die irdische Welt, die Welt der Machthaber und
Hierarchen, mag aller irdischen Möglichkeiten voll sein – der wahre
Glaube muß lernen, wie Luther mit einer gewaltigen Formulierung
sagt, *auf dem Nichts zu stehen*. Gott aber, der alle seine Werke aus
dem Nichts rufen kann, ist mächtiger als alle irdische Gewalt.

Die Geschichte hat dem Glaubensurteil Luthers recht gegeben.

SCHMALKALDEN

Wie sich der politische, kirchenpolitische und theologische Weg der
Reformation immer weiter auf die Trennung von der alten und die
Herausbildung einer neuen Kirche hin entwickelte, läßt sich am besten an den «Schmalkaldischen Artikeln» zeigen, die man als die
schönste Bekenntnisschrift der lutherischen Kirche bezeichnen muß.
Zum ersten Male steht die neu gewordene Kirche der Reformation
der alten Kirche g e g e n ü b e r, nicht mehr noch halb in ihr wie bei
der Augsburgischen Konfession. Zum ersten Male überschaut sie
ruhig Möglichkeit oder Unmöglichkeit der Wiedervereinigung und
stellt fest, daß ein geschichtlicher Bruch vollzogen ist. Darum wendet
sie auch den Blick von Bindungen, die keine mehr sind, und entdeckt,
daß sie inzwischen durch die Führung Gottes selber K i r c h e geworden ist. Sie ist nicht mehr nur Reformbewegung innerhalb der römischen Kirche, nicht mehr nur eine theologische «Richtung», nicht
mehr nur eine provinzielle oder innerdeutsche Angelegenheit – das
alles hätte man zur Zeit der Confessio Augustana noch vermuten
können; sondern es ist etwas Neues entstanden.

Dieser Sachverhalt wird noch durch eine andere Tatsache unter-
strichen. Die Schmalkaldischen Artikel sind so etwas wie Luthers
theologisches und kirchliches Testament. Eine merkwürdige Parallele
zu einem früheren Ereignis zeigt sich: So wie Luther vom Reichstag
zu Augsburg ferngehalten war und nur von der Veste Coburg die
kämpfenden und bekennenden Brüder mit seinem Gebet und seinem
Rat hatte begleiten können, ebenso hat er auch niemals seine für den
Bundestag in Schmalkalden verfaßten Artikel selber vorlegen und
vertreten können. Denn als er Anfang Februar 1537 dort in Begleitung des Kurfürsten ankam, wurde er alsbald auf den Tod krank.
Nach dem Bericht des Johannes Mathesius hat er sich aus Schmalkalden
wegführen lassen; «darauf befiehlt er sich in der Kirche Gebet und
tut sein kurzes und christliches Bekenntnis: er bleibe dem Herrn Chri-
sto und seinem Wort, und wisse keine andere Gerechtigkeit in seinem Herzen denn das teure Blut Christi, das ihn und alle, die es

glauben, von allen Sünden reinige, aus lauter Gnaden. Er macht auch allda auf'm Wagen seinen letzten Willen und Testament.» Seine Umgebung hatte völlig mit seinem bevorstehenden Ende gerechnet; der Kurfürst, der alles Erdenkliche zu seiner Rettung getan hatte, sah die Erkrankung so ernst an, daß er Luthers Frau Katharina hatte benachrichtigen lassen, damit sie ihn noch lebend antreffen könne, ehe er unterwegs stürbe. Und Luther selber sah es nicht anders an: *Summa, ich bin tot gewest und hab dich mit dem Kindlein Gott befohlen*, schreibt er am 27. Februar als Tambach, wo sich mitten in der Nacht sein Leiden urplötzlich zum Guten gewendet hatte. Auch Melanchthon hat er in einem herzlichen Freundesbrief noch mitten in der Nacht von der wunderbaren Besserung berichtet, die er als eine Erhörung

Johannes Bugenhagen. Gemälde von Lucas Cranach d. Ä., 1532

der Freundesgebete ansah. *Aus diesem Beispiele sollen wir lernen zu beten und es wagen, die Hilfe vom Himmel zu erwarten*, heißt es in dem Brief; so werden auch die Freunde gedacht haben, als der junge Magister Schlaginhauffen, der Luther begleitet hatte, in der Frühe des 28. Februar wieder in Schmalkalden einritt mit dem jubelnden Rufe: «Lutherus vivit, Luther lebt!»

Wir blicken auf den geschichtlichen Hintergrund zurück. Am 7. November 1536 war Martin Luther zusammen mit Bugenhagen auf das kurfürstliche Schloß zu Wittenberg hinaufgefahren, um dem päpstlichen Legaten Pietro Paolo Vergerio zu begegnen, der am Abend zuvor mit einundzwanzig Pferden und Eseln in die Stadt eingezogen und vom Landvogt mit allen Ehren empfangen war. *Siehe, da fahren der deutsche Papst und Cardinalis Pomeranus*, soll Luther nach einem alten Bericht während der Fahrt gesagt und ernsthaft hinzugefügt haben: *Gottes Werkzeuge*. Diese erste neue Begegnung mit einem päpstlichen Abgesandten war sehr verschieden von jener anderen vor siebzehn Jahren, als er sich zu Augsburg vor Cajetan auf den Boden warf. Wie auch das folgende Gespräch auf dem Schlosse beweist, hatte nun Luther seinen Weg längst klar erkannt und stellte in ebenso ruhiger wie kraftvoller Rede die Lauterkeit der päpstlichen Konzilspläne in Zweifel. Zu einer Einigung kam es jedenfalls nicht, obwohl Vergerio ein erfahrener, kluger und gemäßigter Vertreter des Papstes war. Als sich der päpstliche Legat verabschiedete, stand er zunächst völlig unter dem Eindruck, es mit einem «Besessenen» zu tun gehabt zu haben; und als er aus den Wittenberger Toren ritt, ahnte er noch nicht, daß er selber einmal ein erbitterter Gegner des Papsttums sein und in Süddeutschland, der Schweiz und Tirol am Aufbau des neuen Kirchenwesens mitarbeiten würde.

Der päpstliche Stuhl hatte es mit seinen Konzilsplänen sichtlich nicht eilig. Nach manchem Hin und Her schien es gegen Ende des Jahres 1536 so, daß man für den Mai des folgenden Jahres mit der Eröffnung des Konzils in Mantua würde rechnen können. Um nicht ungerüstet zu sein, beauftragte der Kurfürst Luther Anfang Dezember 1536 mit der Abfassung einiger Artikel, die zur Verhandlungsgrundlage geeignet sein würden. In dem schönen Schreiben des Kurfürsten heißt es, Luther solle «sein Grund und Meinung mit göttlicher Schrift verfertigen, worauf er auch in seinem letzten Abschied von dieser Welt vor Gottes allmächtigem Gericht gedenkt zu beruhen und zu bleiben». Bereits am 18. Dezember war die Arbeit auf sechzehn Bogen gediehen, als Luther krank wurde und nur noch durch Diktat an seinen Artikeln weiterarbeiten konnte. Aber schon in den Weihnachtstagen konnte die abschließende Beratung der fertiggestellten Artikel erfolgen, an der sich Melanchthon, Bugenhagen, Jonas, Cruciger, Amsdorf, Spalatin und Agricola beteiligten. Am 3. Januar 1537 wurden die fertiggestellten Artikel dem Kurfürsten Johann Friedrich dem Großmütigen übersandt, der in seiner Freude über das gelungene Werk am 7. Januar antwortete: «Der allmächtige Gott verleihe uns allen durch unsern Herrn Christum seine Gnade, daß wir mit beständigem, wahrhaftigem Glauben dabei bleiben mögen und uns keine menschliche Furcht oder Gutdünken davon abwenden lassen. Was aber die Wagnis und Gefahr belanget, so unserem Land und Leuten, auch Personen derhalben begegnen möchte, wollen wir Gott heimstellen, nachdem er sagt, daß unsere Haare auf unserem Haupte alle gezählet sind und wir keines ohne seinen göttlichen Willen verlieren mögen [Matth. 10, 30], der wird es auch der Gefahr halben mit unserm Bruder, uns und unsern Kindern, Land und Leuten nach seinem göttlichen Willen wohl verordnen und machen, dem wir es zu seinem Willen wollen heimstellen. Denn er hat uns zu einem Fürsten erwählt; ist's sein Wille, so wird er uns auch wohl dabei erhalten, ist's sein Wille nicht, so hilft kein Sorgen der Gefahr; denn er wird es, wie es ihm gefällig, wohl machen.» Der Kurfürst war auch entschlossen, die anderen Glaubensverwandten zu Schmalkalden, wo man Anfang Februar wieder zu einem Bundestage zusammentreten wollte, auf diese klare und große Linie festzulegen.

Diese Erwartung ging merkwürdigerweise so nicht in Erfüllung. Während der Erkrankung Luthers folgten die Bundestagsvertreter dem Rate Melanchthons, man solle es bei der Confessio Augustana

Martinus Luther d. [?]

Justus Jonas . D. Rector [?] manu [?]

Joannes Bugenhagen Pomer doctor [?]

Caspar Creutziger D. [?]

Niclas Amstorff [?] magdeburgesch

Georgius Spalatinus [?] Aldenburgensis.

Ich philippus Melanthon halt die
obgesante artikel auch fur recht vnd
christlich, vom Bapst aber halt ich,
so er das euangelium wolte zulassung,
das yhm, vnd frieden vnd gemeine
Einikeit wider die zuuiergen Christen ist
auch vnter yhen sind vnd kunsstig sein
mochten, sein superiores ober die
Bischoff die ehr hatt durch humana,
auch von vns zu zu lassen ~~[crossed out]~~

Joannes Agricola Eislebius [?]
Gabriel didymus [?]

und der Apologie belassen. So wurden die sogenannten «Schmalkaldener Artikel» niemals wirklich von den in Schmalkalden Versammelten beraten, sondern lediglich erst nach dem Abschluß der Verhandlungen von den anwesenden Theologen persönlich unterzeichnet. Ihrer großen inneren Autorität aber war es zu danken, daß sie trotzdem in Kürze ihren Weg durch das evangelische Deutschland machten und bei der Zusammenstellung des Konkordienbuches 1580 den Bekenntnisschriften eingereiht wurden.

Das Schwergewicht dieser Artikel liegt in ihrem zweiten Hauptteil. Nachdem zuerst in Kürze diejenigen Punkte aufgezählt wurden, in denen keine Meinungsverschiedenheit gegenüber Rom besteht, folgen die eigentlich strittigen Fragen in knapper, scharfer Darlegung, beginnend mit der Rechtfertigungslehre, der Messe mit allen Folgerungen, dem Mönchtum und vor allem dem Papsttum. Hier fällt die ruhige, kraftvolle Schärfe auf, die nicht mehr eigentlich polemisiert, sondern fast überwiegend eine gewonnene und nicht mehr rückgängig zu machende Entscheidung darlegt. Die Polemik hat eine ausschließlich dienende Funktion gewonnen; der eigentliche Impetus ist der entschlossene Wille, die Kirche aus seelsorgerlicher Verantwortung den erkannten Irrtümern nicht zu überlassen. Am deutlichsten ist das in der Frage der Ordination und Bischofsweihe. Wenn die Evangelischen dazu übergegangen sind, selber Pfarrer zu ordinieren und Bischöfe zu berufen, dann haben sie das nicht einfach als meuternde Rebellen getan, sondern aus der schon erwähnten seelsorgerlichen Verpflichtung heraus: die Kirche soll wegen des Streites mit den gegnerischen Bischöfen nicht ohne Prediger und Seelsorger bleiben. In diesem Zusammenhang stehen die großen Gedanken Luthers über Evangelium, Taufe, Abendmahl, Beichte, Bann.

Die schärfste Formel für den theologischen Gegensatz gegen das Papsttum liegt aber darin, daß dieses *eitel Enthusiasmus* sei. Dieser Terminus bezeichnet jenen verhängnisvollen Willen des Menschen, selbst zu sein wie Gott; aus diesem Irrtum folgen alle anderen, vor allem aber der Hauptirrtum, sich nicht an Gottes Offenbarung halten zu wollen. *Der Enthusiasmus sticket in Adam und seinen Kindern von Anfang bis zu Ende der Welt, von dem alten Drachen in sie gestiftet und gegiftet, und ist aller Ketzerei ... Ursprung, Kraft und Macht. Darum sollen und müssen wir darauf beharren, daß Gott nicht will mit uns Menschen handeln denn durch sein äußerlich Wort und Sakrament.* Der tiefe religionsgeschichtliche Unterschied, der die beiden Kirchen trennt, ist so aufgedeckt, daß er nicht mehr übersehen oder übergangen werden kann. Es ist wirklich ein kirchengeschichtlicher Einschnitt erfolgt. Die Kirche der Reformation ist da. Sie kann nicht mehr zurück zu dem, was war.

Dieser kraftvollen, ruhigen Selbstbesinnung entspricht die äuße-

Die Schlußseite der Schmalkaldischen Artikel mit den Signaturen der Unterzeichner und einem handschriftlichen Zusatz von Melanchthon

Huldreich Zwingli. Anonymes Gemälde

re Situation, in der sich die junge reformatorische Kirche vorfand. Auch Rom hatte den Trennungsstrich gesehen. Und nachdem es die Unzulänglichkeit aller äußeren Wiederherstellungsversuche einzusehen begann, machte es sich zu dem schwereren und tieferen Werke auf, das acht Jahre später mit dem Tridentinischen Konzil begann: zur Gegenreformation. Angesichts dieser großen drohenden Möglichkeiten von der anderen Seite her faßten die Evangelischen zum ersten Male den kühnen Plan zu einem eigenen protestantischen Konzil, das Lehre und Leben der Kirche neu ordnen und gestalten sollte. Denn das voraufgehende Jahr 1536 hatte in der Wittenberger Konkordie die Einigung mit den süddeutschen Evangelischen gebracht, die auch Luther nach dem Mißerfolg des Marburger Gesprächs mit Zwingli (1529) auf das tiefste bewegt hatte. Es schien die Zeit zu einer echten und dauerhaften Einigung im Lager der Evangelischen gekommen. Diese Hoffnungen haben sich nicht erfüllt. Aber jenes Hochgefühl eines neuen kirchlichen Anfanges mit seinen Verheißungen und Aufgaben spiegeln auch die von Luther verfaßten Artikel wider. Und da sie das erste kräftige Zeugnis des neuen eigenen kirchlichen Bewußtseins innerhalb der lutherischen Bekenntnisschriften sind, erscheinen sie uns nicht umsonst als deren innerer Höhepunkt.

Versucht man, zusammenfassend die kirchliche Entscheidung der Schmalkaldischen Artikel zu beschreiben, so kann man es nur mit einem Gedanken tun, den die Reformation selber immer wieder zu betonen nicht müde geworden ist. Sie hat nicht willkürlich eine bestehende Kirche vernichten und eine neue an ihre Stelle setzen wollen, sondern sie hat die Wiederherstellung der christlichen Kirche des Anfangs zum Ziel gehabt, der Kirche des Neuen Testamentes – deshalb geht sie auf die Heilige Schrift zurück – und der Alten Kirche – deshalb hat sie ausdrücklich das Bekenntnis zu den großen Glaubensbekenntnissen der Alten Kirche wiederholt. Sie war Reformation, nicht Rebellion.

Die Reformation ist in einer einzigartigen Weise deutsches Schicksal geworden. Sie ist vielleicht der größte Beitrag, den die deutsche Geschichte bisher zur Weltgeschichte geleistet hat. Aber sie hat sich auf deutschem Boden auch in einer ganz merkwürdigen und einzigartigen Weise sofort und damit für Jahrhunderte mit der öffentlichen politischen Gewalt verbunden, und zwar durch das Landeskirchentum, das den Landesfürsten die höchste äußere Gewalt in kirchlichen Dingen übertrug.

Immer wieder hat man Martin Luther hart dafür getadelt, daß er seine Kirche an die kirchenfremde Gewalt des Staates ausgeliefert habe; darin sind sich deutsche Kulturkritiker und angelsächsische Anhänger der Ökumene einig gewesen – die letzteren, indem sie ihre eigene Kirchengeschichte merkwürdig bereitwillig vergaßen, denn die Existenz der anglikanischen Kirche ist bekanntlich überhaupt nicht theologisch, sondern lediglich durch die dynastische Laune eines ihrer markanten Herrscher begründet. Auf der anderen Seite haben «lutherische» Theologen der landeskirchlichen Gebundenheit der lutherischen Kirche in Deutschland eine stille theologische Weihe gegeben und dabei übersehen, daß es nicht weniger grotesk als im Falle der anglikanischen Kirche ist, wenn man einen geographischen oder politischen Tatbestand für eine theologische oder kirchliche Gegebenheit ausgibt.

Das richtige Urteil muß von der genauen Kenntnis der geschichtlichen Gesamtsituation ausgehen. Als die Reformation anbrach, war das Kaisertum nur noch der Schatten einer einstmals mächtigen und geschichtsgestaltenden Idee. In Europa war seit etwa einem Jahrhundert eine neue geschichtliche Kraft von wachsender Stärke aufgewacht – das Nationalgefühl der Völker. Da das Kaisertum an seine übervölkische Verantwortung gebunden schien, wurden die Träger dieser neuen geschichtlichen Kraft in Deutschland die Fürsten.

So geht neben der Reformation eine mächtige politische Bewe-

gung einher, die sich bald mit dem anderen großen geschichtlichen Strom zu verbinden trachtet. Das ist die Lage, der sich die in Schmalkalden versammelten Fürsten im Februar 1537 gegenübersehen.

Denn Schmalkalden war eigentlich ein politischer, nicht vornehmlich ein kirchlicher Name. Den Namen Schmalkaldens trug seit einer Reihe von Jahren jener groß angelegte Bund evangelischer Fürsten, der zum Schutze der evangelischen Landesfürstentümer und Städte geschlossen war. So viele Einzelzüge man auch entdecken kann, die das Bild dieses politischen Bündnisses zu verdunkeln scheinen, und so schmerzlich auch der Weg des bedeutendsten politischen Kopfes unter den Schmalkaldenern, des Landgrafen Philipp von Hessen, endete – man kann nicht leugnen, daß hier eine der wirklich großen politischen Konzeptionen des Reformationsjahrhunderts vorliegt. Je weiter sich die Einflußsphäre dieses Bündnisses ausbreitete – man hat schließlich sogar die katholischen Bayernherzöge in den Bund aufgenommen – und je stärker auch die entgegengesetzte Verbündung, die katholische Nürnberger Liga, zu werden schien, um so klarer hob sich jene große geschichtliche Entscheidung ab, der die europäische Geschichte zutrieb und deren Gewalt sich ein knappes Jahrhundert später blutig entladen sollte.

In den schwierigen Stunden des Reiches haben die Evangelischen sich loyal verhalten. Obwohl Luther die Türkengefahr als ungewöhnlich ernst beurteilte, findet sich bei ihm nicht eine einzige Andeutung dafür, daß er aus dieser politischen Notlage Kapital zu schlagen gedacht hätte.

Die kaiserliche Politik ihrerseits war damals durch den Wunsch bestimmt, um der politischen Einheit willen auch die kirchliche zu erhalten. Erst ein Jahrhundert später war die Entscheidung geschichtlich ausgereift; man gab um der politischen Einheit willen die kirchliche preis. Aber dieser geschichtliche Prozeß vollzog sich auf deutschem Boden und im Rahmen der lutherischen Reformation langsamer und schmerzlicher als etwa in der calvinistischen Kirchengeschichte. Dort vollzog sich diese Entwicklung – nicht nur wegen der bewunderungswürdigen logizistischen Schärfe Calvins in den Grundkonzeptionen – rascher, zügiger, schärfer. Frankreich schied mit einem raschen und blutigen Prozeß viele seiner besten Söhne aus seiner Geschichte aus.

Daß die Entwicklung sich in Deutschland anders vollzog, lag an der Tatsache, daß es neben der öffentlichen Gewalt des Kaisers auch deutsche Fürsten gab, die kraftvolle Träger der Reformation wurden. Einer der sympathischsten ist Luthers eigener Kurfürst, dessen persönliche Haltung in den Schmalkaldener Tagen wie in den ganzen voraufgegangenen und nachfolgenden Wochen untadelig war.

Trotzdem hatte Luther lediglich ein mittelbares Verhältnis zu der

Der Reformator. Gemälde von Lucas Cranach d. Ä.
Miniatur aus dem sogenannten Stammbuch des Malers, 1543

geschilderten politischen Entwicklung, die er nur mit Mißtrauen beobachtet hat. Er versuchte, die einzige Aufgabe der Reformation, das Evangelium lauter und rein zu verkündigen, grundsätzlich von aller politischen Zielsetzung freizuhalten. Damit hat er – geschichtlich geurteilt – die Reformation gerettet. Auch in Schmalkalden hat er keine politischen Ziele vertreten, sondern nur über der wiedergewonnenen Reinheit der Verkündigung wachen wollen. Und die Kraft seiner Artikel beruht nicht etwa in einem genialen Erfassen des politischen Augenblicks, sondern in der grundsätzlichen Klarheit und Schärfe, mit der sich die Reformation gegen alle Versuche ihrer Ausnutzung zu politischen Möglichkeiten schützte.

Der politische Wille der Reformation findet in diesen Jahren ausschließlich seinen Ausdruck in der Sorge, daß Deutschland das reine Evangelium durch seine eigene Schuld verlorengehen könne. *Unsere Sünden drücken uns und lassen Gott nicht gnädig über uns sein* – das ist die eigentliche Erklärung Luthers dafür, daß die von der Reformation aufgerührten Fragen zwangsläufig auch die Mißstände im Volksleben aufdecken müssen. Die Reformation hat Deutschland nur eines zu sagen: daß Gottes Wort gilt und gehört werden soll. Daher faßt sich Luthers Sorge um sein Volk hier auch in jenem mächtigen und unvergeßlichen Bilde zusammen, das die Schmalkaldischen Artikel so einzigartig macht: Nicht das geplante Konzil von Mantua (an das schon niemand mehr recht glaubte) kann helfen; sondern man muß die Sorge empfinden, daß Gott *möcht' einmal ein Engelkonzilium lassen gehen über Deutschland, das uns alle in Grund verderbet wie Sodom und Gomorra, weil wir sein so freventlich... spotten.* Und aus dieser Sorge heraus erklingt jenes ergreifende Gebet, mit dem Luthers Vorrede abschließt: *Ach, lieber Herr Jesu Christe, halt du selber Konzilium und erlöse die Deinen durch deine herrliche Zukunft (= Wiederkunft) ... hilf du uns Armen und Elenden, die wir zu dir seufzen und dich suchen im Ernst, nach der Gnade, die du uns gegeben hast durch deinen Heiligen Geist, der mit dir und dem Vater lebet und regieret ewiglich gelobt. Amen.*

Luthers Vermächtnis

Am 18. Februar 1546 starb Luther in der gleichen Stadt Eisleben, in der er zweiundsechzig Jahre vorher geboren war. Der Kreis seines Lebens, der sich hier in merkwürdiger Führung Gottes für ihn schloß, hatte sich weit gespannt: das Vaterhaus bei dem Bergmann und späteren Kleinunternehmer Hans Luther, hohe Schule und Universität, Kloster und Professur – Worms, Augsburg, Schmalkalden und immer wieder Wittenberg –, das war der Lebenslauf, der wie kein anderer dieses Zeitabschnittes europäische Bedeutung gewonnen hatte.

Martin Luther auf dem Katheder. Zeichnung von Reifenstein, 1545.
Wittenberg, Lutherhalle

. D . M . Lutherus .

Pestis eram viuens moriens ero mors tua
Papa

Anno   1 . 5 . 4 6

Ætatis suæ
63 viuens
ingrediem
64 morti
me

Obijt mortem 18 Februarij
mcte intra horam 2 et terciã
Et vigesima 2 eiusdem mensis
Wittemberg in arce sepultus
Et MORTVVS VIVIT

Saale und Elbe hatten Hochwasser geführt, als Luther in den letzten Januartagen sich auf die Reise machte, zu der seine ehemaligen Landesherren, die Grafen von Mansfeld, ihn aufgefordert hatten, weil sie ihn um seine Vermittlertätigkeit in einigen Familienzwistigkeiten gebeten hatten. Luther, nun schon ein alter Mann, der mancherlei körperliche Leiden in den letzten Jahren durchzumachen hatte, wollte sich diesem Rufe seiner engsten Heimat nicht verschließen und hatte sich allen Bedenken und Hemmungen zum Trotz auf den Weg gemacht. Die beschwerliche Winterreise war nicht gut für ihn gewesen, der Wind hatte eiskalt von hinten geblasen, und frierend und mit bohrenden Schmerzen im Hinterkopf hatte Luther mansfeldisches Gebiet erreicht, wo ein Ehrengeleit von einhundertdreizehn Berittenen ihn erwartete. In Mansfeld hatte er sich ein wenig von den Anstrengungen der Reise erholt und neben den mißlichen Verhandlungen in den gräflichen Angelegenheiten noch gepredigt, ordiniert, kommuniziert und in zahlreichen Einzelgesprächen Rat und Weisungen erteilt.

Am Abend des 17. Februar überfiel ihn ein heftiger Anfall seines Leidens. Mit den Mitteln, die sich bei ihm bewährt hatten, gelang es, ihn zu überwinden; aber in den ersten Stunden des 18. Februar kehrten Anfälle und Schwäche wieder. Die Umgebung erkannte das Bedrohliche der Lage und sandte nach dem Arzt und nach den Grafen, die sich vergeblich bemühten, die sinkende Lebenskraft zu stützen. Man hörte ihn noch beten – sein Begleiter Justus Jonas hat es aufgezeichnet: *O mein himmlischer Vater, Gott und Vater unseres Herrn Jesu Christi, du Gott alles Trostes, ich danke dir, daß du mir deinen lieben Sohn Jesum Christum offenbart hast, an den ich glaube, den ich gepredigt und bekannt habe, den ich geliebet und gelobet habe, welchen der leidige Papst und alle Gottlosen schänden, verfolgen und lästern. Ich bitte dich, mein Herr Jesu Christe, laß dir meine Seele befohlen sein. O himmlischer Vater, ob ich schon diesen Leib lassen und aus diesem Leben weggerissen werden muß, so weiß ich doch gewiß, daß ich bei dir ewig bleiben und aus deinen Händen mich niemand reißen kann.* Mehrfach betete er den Spruch aus dem Completorium: *In deine Hände befehle ich meinen Geist, du treuer Gott.* Als er immer stiller wurde, riefen ihm seine beiden treuesten Schüler und Mitarbeiter zu: «Reverende Pater, wollet Ihr auf Christum und die Lehre, wie Ihr sie gepredigt, beständig sterben?» Er antwortete noch mit klarer Stimme *Ja* und ist bald darauf «friedlich und sanft im Herrn entschlafen, wie Simeon singet».

Die unmittelbar nach seinem Tode gefertigten Darstellungen lassen zwar etwas von jener geschichtlichen Tatsache verspüren, daß hier ein großes Lebenswerk zu Ende gegangen ist, aber sie vermögen doch nicht völlig dem Genüge zu tun, was dieser Tod an Gedanken weckt.

Denn dieser Luther, der da zu Eisleben starb, fast fünfundzwanzig Jahre nach dem Reichstag zu Worms, war nicht mehr der Volksheld von einst und der von allen geehrte Mittelpunkt weltgeschichtlicher Entscheidung. Es konnte sogar den Anschein haben, als läge viel Alltag um seine Erscheinung herum; er ist gealtert und von vielen körperlichen Beschwerden heimgesucht, sein Körper hat zugenommen, und die Welt, in der er leben muß, sieht nicht rosig aus; sie hat für jedermann, nicht zuletzt für ihn selbst, mehr Enttäuschungen als Hoffnungen bereit gehalten. Das zu Ende gehende Kapitel der eigentlichen Reformationsgeschichte erscheint so völlig in dieses farblose Licht des Verzichtes getaucht, daß sich das allgemeine kirchliche und geistige Bewußtsein, ja sogar in gewissem Umfange selbst die Forschung, von dem Bilde des «alten Luther» abgewendet hat, weil es nicht anziehend genug ist.

Aber das ist doch falsch. Am besten sagt man so: Die geschichtliche Größe des «alten Luther» besteht darin, daß er unbeirrt bis zu seinem letzten Lebenstage aus der Erkenntnis heraus l e b t, die er ge-

Luther auf dem Totenbett. Zeichnung von Lukas Furttenagel

lehrt hat: Gott macht Sünder gerecht. Und diese Erkenntnis ist es, die seinem Lebensende die Größe verleiht – die großartige Nüchternheit eines unbestechlichen Urteils über Menschen und Welt, das dennoch nicht in Verzicht oder Verzweiflung oder gar Furcht endet.

Das gilt im Politischen. Luther ist darin eigentlich ganz hinaus über einen typischen Mangel des Deutschen; er hat gar kein Talent zum politischen Träumer. Hat er im allgemeinen die kaiserliche Politik auch in den Tagen des scheinbaren Wohlwollens mit gesunder Zurückhaltung angesehen, so ist er in diesen späteren Jahren einer der Wenigen, die eine grundsätzliche Gefahr innerhalb der großen Weltpolitik klar sehen und furchtlos anschauen – die Türkengefahr. Es hat ihm mißfallen, daß die deutschen und europäischen Fürsten sich in ihren Kleinkriegen untereinander tummelten, als gäbe es diese große Totalbedrohung der Christenheit nicht, und er hat mit Worten überlegenen Spottes und heiligen Ernstes nicht gespart. Einige der grundlegenden Gedanken Luthers über das politische Leben verdanken wir diesen seinen Schriften über die Türkengefahr.

Die gleiche geniale Nüchternheit waltet in seinen Plänen zur Kirchenordnung. Sie haben gar nichts von der enthusiastischen Aufgeregtheit der «Schwärmer» an sich. Schon die Tatsache, daß er seit den großen Kirchenvisitationen des Jahres 1529 unablässig die Aufgabe der religiösen Erziehung betont, beweist, daß er sich über die Menschen keine Illusionen machte, mit denen er zu tun hatte; er sah in ihnen nicht Vorboten der Gemeinschaft der Heiligen, sondern Unwissende und Unerweckte, die der Lehre und der Verkündigung bedurften. Darum war auch sein Urteil gar nicht einseitig durch Verachtung oder Verwerfung bestimmt; es war in ihm Freude und Bekümmernis gleichermaßen gemischt. Mehr als einmal hat er ausgesprochen, daß die geordnete Unterweisung der Jugend Früchte trage und dem Teufel einen Tort antue, und Eltern, Lehrer, Magistrate zur treuen Erfüllung ihrer Pflicht gegenüber der jungen Generation angehalten. Er hat auf der anderen Seite aber ebenso klar gesehen, daß sich die Welt nicht auf eine magische Weise verwandelt, wenn in ihr die christliche Predigt erklingt, sondern daß das Evangelium immer mit dem Satan im Widerstreit liegen wird bis an das Ende der Geschichte. Und als seine eigene Stadt Wittenberg immer weniger den Eindruck einer durch das Wort Gottes geheiligten Stätte macht, als Bürger und Studenten sich immer mehr als in ihrer Alltäglichkeit verhärtet erweisen, beschließt er 1545 kurzerhand, diese Stätte zu verlassen, die dem Worte Gottes so wenig ernsthaft Raum gibt, und es hat der größten Mühe des erschrockenen Magistrates bedurft, der hier seinen berühmtesten Mitbürger auf eine nicht sehr rühmliche Weise verlieren sollte, ihn zur Rückkehr zu bewegen. Ganz von selbst fällt einem dabei der Vergleich mit Calvin und seinem

VIT, DOCVIT, CHRISTVS, FIT VICTIMA, VICTOR

Das newe Testament.
auffs new zugericht.

Doct: Mart: Luth:
Witeberg.
Gedruckt durch Hans Lufft.
1 5 4 6.

VETVS } testamentum est { FONS }
NOVVM } { LVX }

strengen Regiment in Genf ein, mit dessen Hilfe er, solange er lebte, das Bild dieser Stadt christlich machte. Aber wer will sagen, daß Luther in dieser Hinsicht den geringeren Rang verdiene? Hat Calvin Genf vor Rousseau bewahren können, und gibt es wirklich eine äußere Ordnung des Lebens, die ganz dem Evangelium gemäß ist? Ist nicht vielmehr eigentlich Luther der folgerichtigere von beiden, weil er es mit Entschiedenheit abgelehnt hat, als ein Lehrer und Prediger des Evangeliums durch ein anderes Mittel zu wirken als durch das Wort? So hat er es jedenfalls in allen Fragen der kirchlichen Ordnung gehalten. Er ist alles andere als ein schulmeisterlicher Pedant, er will nicht alles bis in die kleinste Einzelheit regeln, er kann wachsen und gelten lassen, was dem Evangelium keinen Schaden tut – ja, man muß es doch einmal sehr deutlich sagen, daß bei ihm nicht die Luft gesetzlicher Rechthaberei weht, sondern die Erinnerung an Gottes vergebende Barmherzigkeit. Es wird auf Erden keine Ordnung geben, die ganz und ausschließlich Gottes heiligen Willen zur Darstellung brächte; das ist erst der künftigen Welt vorbehalten, und einstweilen müssen auch wir in einer Welt leben, in der Gottes Sonne über Gerechten und Ungerechten aufgeht. Wer aber weiß, daß er selbst ständig der Vergebung bedarf, wird auch in äußerer Ordnung und staatlichem Regiment wissen, wo wir einander Nachsicht und Vergebung schuldig sind. Zum Mitglied eines diktatorischen Staatswesens hätte sich Luther schon deswegen gar nicht geeignet, weil in seinem Denken jener unversöhnliche Doktrinarismus keinen Raum hatte, der den Umgang mit Diktatoren aller Art so unerfreulich macht. Die Großzügigkeit des echten Genies begegnet sich bei ihm mit dem Glauben an den Gott, dessen Gnade allein die Welt vor dem Chaos bewahrt. Nein, es ist ein sehr falsches Bild, das den alten Luther in einer Wolke von mißvergnügtem Verzicht sieht; er weiß, wie Leben und Ordnung in dieser gebrechlichen Welt trotz aller ernsten Unzulänglichkeit des Menschen aufrechterhalten werden können.

Und darum ist endlich auch das Urteil falsch, der «alte Luther» sei theologisch nicht mehr der gleiche wie am Anfang. Es ist unverändert die gleiche große theologische Linie da; er hat zeitlebens nur e i n e Theologie gehabt, die theologia crucis. Diese Kreuzestheologie ist auch der Inhalt seines Zeugnisses geblieben, durch Nüchternheit geheiligt, durch die immer stärker werdende eschatologische Erwartung geweitet. Die Anfechtung bleibt eines der wesentlichsten Kennzeichen des rechten Christenstandes, so wie die Verfolgung und Bedrückung das wesentlichste Merkmal der echten Kirche bleibt; aber der Christ und die Kirche gehen dabei eben nur auf dem Wege, den ihr Meister vor ihnen und für sie gegangen ist, dem Wege der Passion, und hinter und über den irdischen Beschwernissen leuchtet das große, ewige Ziel der Geschichte auf, der große Tag Gottes, dem alles irdische Geschehen zuschreitet. Es ist kein müdes, durch Verzicht eingeengtes Bild der Geschichte, sondern eine majestätische Schau, aus der heraus Luther lebt.

So ist es denn auch nicht einmal im äußeren Sinne wahr, daß Luthers theologisches Schaffen nachgelassen habe, weder der Arbeitsleistung noch der sachlichen Einsicht nach. Seine größte und umfangreichste Vorlesung hat er durch das letzte Jahrzehnt seines Lebens hindurch gehalten, jene Auslegung des ersten Buches Mosis, in der – ähnlich wie im reich dahinströmenden Alterswerk Tizians oder bei dem alten Goethe, der am zweiten Teil des «Faust» arbeitet – einige seiner wesentlichsten theologischen Lehren in kraftvoller Fülle vorgetragen werden: vom Wesen der Offenbarung und der Bedeutung des Anthropomorphismus, der Übertragung menschlicher Eigenschaften auf die Vorstellung von Gott, die großartige Lehre vom Personsein des Menschen nach biblischer Schau, die tiefen Einsichten von der Bedeutung der Todesfurcht für die biblisch-reformatorische Anthropologie.

Aber das Beste ist doch dies, daß in dem letzten großen Abschnitt seines Lebens seine Theologie und sein Christenstand ganz in eins verschmelzen. Das kraftvolle Ja, das er noch in der Todesstunde zu seinem gesamten theologischen Lebenswerk gesprochen hat, bestimmt auch seinen christlichen Lebensstand völlig. Er i s t simul justus et peccator, gerecht und Sünder zugleich; er l e b t von der Rechtfertigung des Sünders durch Gott. Darum ist der älter werdende Luther so untheatralisch. Er hat ja sehr genaue Vorstellungen von seinem eigenen geschichtlichen Range gehabt und sie zuzeiten mit größter Unbefangenheit ausgesprochen; aber er lebt bis zuletzt ohne jede Pose, und kein Hauch jener kühlen, geheimrätlichen Würde, die den alternden Goethe so unnahbar machte, überschattet das Bild ungekünstelter Menschlichkeit, das er in Güte und Zorn, in Ernst und Humor, in Nüchternheit und Glauben bis zuletzt bietet.

Es ist nicht das Geringste, daß er auch bis zuletzt unverzagt bleibt. Nichts hätte nähergelegen, als daß er unter den körperlichen Beschwerden und den vielgestaltigen Bedrohungen seines Lebenswerkes von außen einer sehr ernsten und tödlichen Form von Verzichtstimmung erlegen wäre. Aber wie oft hat er es ausgesprochen, daß alle Feinde des Evangeliums am Ende nichts ausrichten würden – *der mit uns ist, ist größer, als der in der Welt ist.* Christus ist mächtiger als der Satan: *Christus Satana major.*

Wie eine programmatische Zusammenfassung seines Lebenswerkes ist jener berühmte Zettel, den man nach seinem Tode fand und der die letzte Aufzeichnung Luthers enthält: ... *Die Heilige Schrift meine niemand genugsam geschmeckt zu haben, er habe denn hundert Jahre lang mit Propheten wie Elias und Elisa, Johannes dem Täufer, Christus und den Aposteln die Gemeinden regiert ... Neige dich tief anbetend vor ihren Spuren! W i r   s i n d   B e t t l e r. Das ist wahr.* Dieser Satz steht nun freilich entgegengesetzt zu dem Ort, wo das Selbstverständnis des sogenannten modernen Menschen sich bewegt. Mehr als zwei Jahrhunderte der neuesten Geistesgeschichte haben sich bemüht, die Selbstherrlichkeit des Menschen zu proklamieren und zu leben. Heute zweifelt niemand mehr daran, daß dieser Aufstandsversuch des Menschen fehlgeschlagen ist. Das Individuum, das sich selbst zum Maß der Dinge gemacht hat, ist nun an sich selbst irre und in dem Kosmos, den es selbst, ohne Gott und ohne irgendeine jenseitige Bindung, beherrschen wollte, heimatlos geworden wie nie zuvor. Gegenüber allen «Errungenschaften» des Menschen, die ihm am Ende doch zu einer tödlichen Bedrohung geworden sind, klingt dieser letzte Satz Luthers, mit dem er gegen eine ganz moderne Welt recht behalten hat, mahnend und warnend zugleich: *Wir sind Bettler. Das ist wahr.* Aber nicht darauf kommt es zuletzt an, daß wir Bettler sind, sondern hinter Luthers letztem Satz steht der Glaube an den Gott, der die Hoffnung der Geringen, der Trost der Sünder, das Leben der Sterbenden ist, und der den Bettlern die leeren Hände füllt.

ZEITTAFEL

1483 10. November: Geburt Martin Luthers als Sohn des Bergmanns Hans Luther und seiner Frau Margarethe, geb. Ziegler, in Eisleben (Thüringen). 11. November: Taufe.

1484 Sommer: Übersiedlung der Familie nach Mansfeld.

1488 Eintritt in die Lateinschule in Mansfeld.

1497 Besuch der Schule der «Brüder vom gemeinsamen Leben», einer ordensähnlichen Bruderschaft, in Magdeburg.

1498 Übersiedlung nach Eisenach. Besuch der Pfarrschule zu St. Georgen. Verkehr im Haus von Ursula Cotta.

1501 Mai: Bezug der Universität Erfurt. Beginn des damaligen Grundstudiums der freien Künste.

1505 Januar: Promotion zum Magister artium. Mai: Aufnahme des Studiums der Rechte. – 2. Juli: Luther wird in der Nähe von Erfurt fast von einem Blitzschlag getroffen und gelobt, Mönch zu werden. 17. Juli: Eintritt in das Schwarze Kloster der Augustiner-Eremiten zu Erfurt, zunächst als Novize.

1506 Herbst: Endgültiges Mönchsgelübde. Beginn starker innerer Glaubenskämpfe.

1507 3. April: Priesterweihe. 2. Mai: Primiz (erste Messe). – Der Generalvikar Johannes von Staupitz tritt in ein freundschaftlich-väterliches Verhältnis zu Luther. Aufnahme des Studiums der Theologie.

1508 Winter: Berufung durch Staupitz nach Wittenberg zur vertretungsweisen Übernahme eines Lehrstuhls für Moralphilosophie.

1509 März: Bakkalaureat in Theologie. – Oktober: Rückversetzung nach Erfurt und Vorlesungstätigkeit in Dogmatik innerhalb des Ordens.

1510 November: Reise nach Rom als Begleiter des Bruders Pater Nathin zu Verhandlungen über Ordensangelegenheiten.

1511 Februar bis April: Rückreise nach Erfurt mit Zwischenaufenthalten in Augsburg und Nürnberg. – Versetzung nach Wittenberg als Subprior des dortigen Klosters. Staupitz übergibt Luther seinen theologischen Lehrstuhl in Wittenberg.

1512 19. Oktober: Promotion zum Doktor der Theologie. – Beginn der *Genesisvorlesung*.

1513 Frühjahr: Luthers «Turmerlebnis», eine Stunde religiöser Erkenntnis im Turm des Schwarzen Klosters zu Wittenberg, die «Geburtsstunde der Reformation». – Beginn der *Psalmenvorlesung*.

1515 Beginn der *Römerbriefvorlesung*.

1516 Beginn der *Galatervorlesung*.

1517 31. Oktober: Luther legt zwei gegen die Ablaßpredigten von Johann Tetzel gerichteten Briefen an den Erzbischof von Mainz und an den Bischof von Magdeburg 95 *Thesen* bei, die (in lateinischer Sprache) das Ablaßunwesen anprangern und zur akademischen Disputation auffordern. Anschlag der *Thesen* an die Wittenberger Schloßkirche [nach Darstellung Melanchthons]. Kurz darauf Versendung der *Thesen* an mehrere Freunde und Gelehrte. Schnelle Weiterverbreitung, unerwartetes Echo.

1518 *Sermon von dem Ablaß und Gnade*, eine volkstümliche Schrift (in deutscher Sprache) über die Grundgedanken der 95 *Thesen*. April: Disputation auf dem Augustiner-Konvent in Heidelberg; Luthers erster Durchbruch vor der Gelehrtenwelt. Rom verwirft die *Thesen* als ketzerisch. 7. August: Luther wird nach Rom zitiert. Statt dessen im Oktober: Verhör Luthers durch den päpstlichen Legaten, Kardinal

Cajetan, in Augsburg. Verweigerung des Widerrufs. Staupitz löst Luther aus seiner Gehorsamspflicht gegen den Orden. Flucht aus Augsburg nach Wittenberg. Erneutes Auslieferungsersuchen Cajetans. November: Luther erwartet den päpstlichen Bann und appelliert an ein allgemeines Konzil. Dezember: Kurfürst Friedrich der Weise von Sachsen lehnt gegenüber Papst Leo X. die Auslieferung Luthers und die Ausweisung aus Kursachsen ab.

1519   12. Januar: Tod Kaiser Maximilians I. 28. Juni: Wahl Karls V. zum Kaiser. – Juli: Disputation zwischen Johannes Eck und Luther in Leipzig. Luther bestreitet die Unfehlbarkeit eines Konzils und des Papstes. Das über die Ablaßfragen hinausgehende reformatorische Bestreben Luthers wird mehr und mehr deutlich. – September: *Kommentar zum Galaterbrief.*

1520   Wiederaufnahme des päpstlichen Prozesses gegen Luther. Franz von Sickingen und Ulrich von Hutten bieten Luther ihren Schutz an. – Juni: *Sermon von den guten Werken.* Bulle «Exsurge Domine» mit Bannandrohung und Unterwerfungsfrist. August: Luthers Gegenschrift *An den christlichen Adel deutscher Nation.* September: Karl V. verbietet in Burgund die Ketzerei Luthers. Oktober/November: Verbrennung der Schriften Luthers in Löwen, Lüttich, Köln, Mainz. Luthers weitere Veröffentlichungen im Kampf um die Kirchenreform: *De captivitate Babylonica; Adversus execrabilem Antichristi bullam; Von der Freiheit eines Christenmenschen.* Dezember: Öffentliche Verbrennung der päpstlichen Bannandrohungsbulle durch Luther in Wittenberg.

1521   3. Januar: Endgültige Verhängung des Bannes über Luther durch die Bulle «Decet Romanus Pontifex». Februar: Der päpstliche Gesandte Hieronymus Aleander fordert vor dem Reichstag in Worms von dem Kaiser den Vollzug der Verurteilung Luthers. März: Vorladung Luthers vor den Reichstag (gegen die Bestrebungen der Kurie). 3. April: Abreise nach Worms. Triumphaler Empfang in Erfurt. 16. April: Eintreffen in Worms unter kaiserlichem Schutzgeleit. 17./18. April: Auftreten vor dem Reichstag. Luther verteidigt seine Schriften und religiösen Erkenntnisse und verweigert den geforderten Widerruf. 26. April: Abreise Luthers aus Worms unter kaiserlichem Geleit. Mai: Wormser Edikt: Reichsacht gegen Luther und Verbot seiner Lehre. 9. Mai: Beginn des Aufenthalts Luthers als «Junker Jörg» auf der Wartburg unter dem Schutz Friedrichs des Weisen. – Herbst: Religiöse Unruhen in Wittenberg. – Dezember: Luther beginnt mit der Übersetzung des Neuen Testaments. Arbeit an der *Kirchenpostille,* einer Mustersammlung von Predigten.

1522   März: Luther verläßt auf Grund der religiösen Ratlosigkeit seiner Anhänger die Wartburg und begibt sich nach Wittenberg. *Invokavitpredigten.* Reisen in die kursächsische Umgebung. – April: Beginn der Reformation in Zürich durch Huldreich Zwingli. – September: *Das Neue Testament Deutsch* erscheint ohne Nennung des Übersetzers. Luther beginnt mit der Übersetzung des Alten Testaments (Abschluß 1534).

1523   März: *Von weltlicher Obrigkeit.* – Austritt von Mönchen und Nonnen aus den Klöstern. 1. Juli: Verbrennung der ersten Märtyrer der Reformation in Brüssel. – Beginn von Luthers Liedschaffen. Die ersten Teile der Übersetzung des Alten Testaments erscheinen.

1524   Juni: Beginn des Bauernaufruhrs im Schwarzwald. – Juli: Regensburger Bündnis zur Durchführung des Wormser Edikts. – September:

Streitschriften des Erasmus von Rotterdam und des Bauernführers Thomas Münzer gegen Luther. – Oktober: Luther legt die Mönchskutte ab.

1525 Bauernkrieg. – Januar: *Wider die himmlischen Propheten.* – April bis Mai: Reisen Luthers in die Unruhegebiete Sachsens und Thüringens. Predigten und Publikationen gegen den Bauernaufstand. Unpopularität Luthers. – 5. Mai: Tod des Kurfürsten Friedrichs des Weisen. Nachfolger: Johann der Beständige. – Juni: Niederwerfung der Bauernaufstände. – 13. Juni: Eheschließung Luthers mit der ehemaligen Zisterzienserin Katharina von Bora. – Juli: Dessauer Bündnis nord- und mitteldeutscher Fürsten gegen die evangelische Lehre. – Oktober: Luther leitet mit Hilfe des Kurfürsten die Kirchenneuordnung in Sachsen ein. Universitäts- und Schulreform durch Philipp Melanchthon. – Dezember: *De servo arbitrio* (Auseinandersetzung mit Erasmus in der Frage um die Freiheit des Willens).

1526 Februar: Gothaer Bündnis zwischen Sachsen und Hessen zum Schutz der evangelischen Lehre. – Juni bis August: Erster Reichstag zu Speyer. Vertagung der Fragen zur Durchführung des Wormser Edikts unter den drängenden Problemen der Türkenbedrohung. Die religiöse Entscheidung und Bestimmung der Konfession wird in die Hände der jeweiligen Landesherren gelegt.

1528 März: *Bekenntnis vom Abendmahl Christi.*

1529 Februar bis April: Zweiter Reichstag zu Speyer. Protest der evangelisch gesinnten Stände gegen die Aufhebung des Reichstagsbeschlusses von 1526 («Protestanten»). – 1.–4. Oktober: Auf eine Einladung des Landgrafen Philipp von Hessen trifft Luther mit dem Schweizer Reformator Huldreich Zwingli zu einem Religionsgespräch in Marburg zusammen, das Einigkeit im evangelischen Lager herstellen soll. Keine Einigung in der Auffassung des Abendmahls. – *Deutsch Katechismus* (sog. Großer Katechismus).

1530 April bis Oktober: Aufenthalt Luthers auf der Veste Coburg. Juni bis November: Reichstag zu Augsburg. Melanchthon vertritt Luther und die Sache der Reformation. 25. Juni: Melanchthons «Confessio Augustana» wird vor dem Reichstag verlesen und bildet somit das erste öffentliche Bekenntnis des Protestantismus. Ablehnung durch den Kaiser.

1531 April: *Warnung an seine lieben Deutschen.*

1532 Nürnberger Religionsfriede mit Rücksicht auf neue Türkenangriffe. Aufstieg des Protestantismus.

1534 Erste Gesamtausgabe von Luthers Bibelübersetzung: *Biblia, das ist die ganze Heilige Schrift Deutsch.*

1535 Januar: Bildung einer Kommission zur Überprüfung der vorliegenden Bibelübersetzung unter dem Vorsitz Luthers. – Juni: Beginn der letzten großen *Genesisvorlesung* (bis 1545).

1536 Mai: Wittenberger Konkordie: Einigung Kursachsens mit den süddeutschen evangelischen Städten. – November: Luther begegnet mit Johannes Bugenhagen dem päpstlichen Gesandten Pietro Paolo Vergerio in Wittenberg. – Dezember: *Schmalkaldische Artikel,* die Verhandlungsgrundlage für ein geplantes Konzil zu Mantua.

1537 Februar: Ernste Erkrankung während des Aufenthalts mit dem Kurfürsten in Schmalkalden. Rückreise nach Wittenberg. – Schmalkaldener Bündniskonvent der evangelischen Fürsten. Unterzeichnung von Luthers *Artikeln* durch die anwesenden Theologen.

1539 *Von den Conciliis und Kirchen.* – September: Erster Band einer Gesamtausgabe der Schriften Luthers erscheint.

1541 Reformation in Genf durch Johann Calvin.

1543 *Von den Juden und ihren Lügen.*

1544 *Kurzes Bekenntnis vom heiligen Sakrament.* – Weihung des ersten evangelischen Kirchenbaues in Torgau durch Luther. – Dezember: Letzte Sitzung der Kommission zur Revision der Bibelübersetzung.

1545 März: Die Protestanten lehnen auf dem Reichstag zu Worms eine Beschickung des Konzils zu Trient ab. – März: Vorrede zu den *Opera latina* der Wittenberger Gesamtausgabe (Ansatz einer Selbstbiographie). – Oktober: Beendigung der *Genesisvorlesung* (seit 1535). – Dezember: Eröffnung des Konzils zu Trient. Ablehnung der protestantischen Lehren. Die Epoche der Gegenreformation bahnt sich an.

1546 23. Januar: Luther reist in Begleitung seiner drei Söhne über Halle nach Eisleben zu Schlichtungsverhandlungen in einem Streit der Grafen von Mansfeld. 16./17. Februar: Versöhnung der gräflichen Brüder durch Luthers Vermittlung. 18. Februar: Tod Luthers in Eisleben. 22. Februar: Beisetzung in Wittenberg.

ZEUGNISSE

ULRICH VON HUTTEN

Christus sei mit uns! Christus helfe! Denn seine Vorschriften ver-
fechten wir; seine durch den Dunst der päpstlichen Satzungen ver-
dunkelte Lehre bringen wir wieder ans Licht: Du glücklicher, ich
nach Kräften. Möchten entweder alle dies einsehen, oder jene von
freien Stücken in sich gehen und auf den rechten Weg zurückkehren.
Es heißt, Du seiest in den Bann getan. Wie groß, o Luther, wie groß
bist Du, wenn das wahr ist. Denn von Dir werden alle Frommen sagen: Sie suchten die Seele des Gerechten, und das unschuldige Blut
verdammten sie; aber Gott wird ihnen ihre Missetat vergelten, und
in ihrer Bosheit wird der Herr unser Gott sie verderben. Das sei unsere Hoffnung, das unser Glaube.

An Martin Luther. 4. Juni 1520

ALBRECHT DÜRER

Darum sehe ein jeglicher, der Doktor Martin Luthers Bücher liest,
wie seine Lehre so klar durchsichtig ist, so er das heilige Evangelium
lehrt. Darum sind sie in großen Ehren zu halten und nicht zu ver-
brennen; es wäre denn, daß man seine Widersacher, die allezeit die
Wahrheit anfechten, auch ins Feuer würfe mit allen ihren Opinionen,
die da aus Menschen Götter machen wollen; aber doch so, daß man
erst wieder neue lutherische Bücher gedruckt hätte. O Gott, ist Luther
tot, wer wird uns hinfort das heilige Evangelium so klar vortragen!
Ach Gott, was hätte er uns noch in 10 oder 20 Jahren schreiben mögen! O ihr alle frommen Christenmenschen, helft mir fleißig bewei-
nen diesen gottgeistlichen Menschen.

Tagebucheintragung (auf Grund des Gerüchtes von Luthers
Verhaftung und Ermordung). 1521

ERASMUS VON ROTTERDAM

Ich vermisse an Luthers Schriften die Bescheidenheit und evangelische Sanftmut, ich verwerfe seine Hartnäckigkeit im Behaupten, und
dies um so mehr, da seine Schriften von Tag zu Tag immer trotziger
vorschreiten, selbst gegen die höchsten Fürsten, welche zu reizen, sie
seien wie sie wollen, nicht gut ist. Ist Luthers Lehre rein, so wird sie,
wie durch Feuer geläutertes Gold, durch den Widerspruch nur heller
hervorleuchten. Ist sie aber falsch, so wird sie mit Recht von allen
bekämpft. Ist aber darin einiges Falsche mit Wahrem vermischt, so
wird sie gereinigt.

An Huldreich Zwingli. 1523

Philipp Melanchthon

Jeder, der ihn genauer gekannt hat und oft in seiner Nähe gewesen ist, muß bezeugen, daß er ein sehr gütiger Mann war, im Verkehr mit anderen in allen Reden milde, freundlich und sanft und gar nicht frech, stürmisch, eigensinnig oder zänkisch. Und doch lag gleichzeitig Ernst und Festigkeit in seinen Worten und Gebärden, wie es einem solchen Manne zukommt ... Daher ist es offenkundig, daß die Härte, die er gegen die Feinde der reinen Lehre anwandte, nicht auf ein zänkisches und boshaftes Gemüt zurückzuführen war, sondern auf ein großes ernstes Streben nach Wahrheit. Das müssen wir und viele andere, die ihn gesehen und gekannt haben, von ihm als Zeugnis ablegen.

Rede an der Bahre Luthers. 22. Februar 1546

Gottfried Wilhelm Leibniz

Ich sehe nicht, warum Luther mit Recht ein Häretiker genannt werden könnte; denn man könnte keine Irrlehre angeben, die er begründet oder eingeführt hätte. Er hat gegen die Mißbräuche gepredigt, was man als notwendig erkannt hat. Er hat manchmal zuviel Eifer bekundet, aber das macht keinen zum Irrlehrer.

An Landgraf Ernst von Hessen-Rheinfels. Dezember 1691

Gotthold Ephraim Lessing

Lutherus steht bei mir in einer solchen Verehrung, daß es mir, alles wohl überlegt, recht lieb ist, einige kleine Mängel an ihm entdeckt zu haben, weil ich in der Tat der Gefahr sonst nahe war, ihn zu vergöttern. Die Spuren der Menschheit, die ich an ihm finde, sind mir so kostbar als die blendendste seiner Vollkommenheiten. Sie sind sogar für mich lehrreicher als alle diese zusammengenommen ...

Zweiter Brief an den Herrn P. 1753

Johann Gottfried von Herder

Luther war ein patriotischer großer Mann. Als Lehrer der deutschen Nation, ja als Mitreformer des ganzen jetzt aufgeklärten Europa ist er längst anerkannt; auch Völker, die seine Religionssätze nicht annehmen, genießen seiner Reformation Früchte. Er griff den geistlichen Despotismus, der alles freie gesunde Denken aufhebt oder untergräbt, als ein wahrer Herkules an und gab ganzen Völkern, und zwar zuerst in den schwersten, den geistlichen Dingen den Gebrauch der Vernunft wieder. Die Macht seiner Sprache und seines biedern Geistes vereinte sich mit den Wissenschaften, die von und mit ihm auflebten, vergesellschaftete sich mit den Bemühungen der besten Köpfe in allen Ständen, die zum Teil sehr verschieden von ihm dachten; so bildete sich zuerst ein populares literarisches Publikum in Deutschland und in den angrenzenden Ländern.

Herder, Briefe zur Beförderung der Humanität.
Zweite Sammlung. 1793

LUDWIG FEUERBACH

Luthers Lehre ist göttlich, aber unmenschlich, ja barbarisch, eine Hymne auf Gott, aber ein Pasquill auf den Menschen. Aber sie ist nur unmenschlich im Eingang, nicht im Fortgang, in der Voraussetzung, nicht in der Folge, im Mittel, nicht im Zwecke... Keine Speise ohne Hunger – so keine Gnade ohne Sünde, keine Erlösung ohne Not, kein Gott, der alles ist, ohne einen Menschen, der nichts ist. Was der Hunger nimmt, ersetzt die Speise, was Luther im Menschen dir nimmt, das ersetzt er in Gott dir hundertfältig wieder...

Feuerbach, Luther-Studien. 1844

FRIEDRICH NIETZSCHE

Das Bedeutendste, was Luther gewirkt hat, liegt in dem Mißtrauen, welches er gegen die Heiligen und die ganze christliche vita contemplativa geweckt hat: seitdem erst ist der Weg zu einer unchristlichen vita contemplativa in Europa wieder zugänglich geworden und der Verachtung der weltlichen Tätigkeit und der Laien ein Ziel gesetzt.

Nietzsche, Morgenröte. 1881

THOMAS MANN

Nichts gegen die Größe Martin Luthers! Er hat nicht nur durch seine gewaltige Bibelübersetzung die deutsche Sprache erst recht geschaffen, die Goethe und Nietzsche dann zur Vollendung führten, er hat auch durch die Sprengung der scholastischen Fesseln und die Erneuerung des Gewissens der Freiheit der Forschung, der Kritik, der philosophischen Spekulation gewaltigen Vorschub geleistet. Indem er die Unmittelbarkeit des Verhältnisses des Menschen zu seinem Gott herstellte, hat er die europäische Demokratie befördert, denn «Jedermann sein eigener Priester», das ist Demokratie. Die deutsche idealistische Philosophie, die Verfeinerung der Psychologie durch die pietistische Gewissensprüfung, endlich die Selbstüberwindung der christlichen Moral aus Moral, aus äußerster Wahrheitsstrenge – denn das war die Tat (oder Untat) Nietzsches –, dies alles kommt von Luther.

Mann, Deutschland und die Deutschen. 1945

BIBLIOGRAPHIE

Diese Bibliographie kann nur eine Einführung in Quellen und Darstellungen zu Martin Luther sein, wobei der Schwerpunkt auf Standardwerken und Neuerscheinungen liegt, in denen oft ältere Titel zu dem jeweiligen Thema zu finden sind. Während der Vorbereitung auf das Lutherjahr 1983 wurde festgestellt, daß es in der unter christlichem Einfluß entstandenen Kultur außer Jesus Christus keine Person gibt, zu der so viel Veröffentlichungen wie zu Luther erschienen sind. Seit 1926 enthält das «Lutherjahrbuch» jährlich die «Lutherbibliographie», welche die Veröffentlichungen zu Luther weltweit erfaßt. Im Durchschnitt werden jeweils über 1000 Titel angezeigt, 1985 nach dem Lutherjahr waren es 2042. Die Titel sind sachlich nach der auch hier verwendeten Ordnung aufgeführt. So ist es leicht, für ein Thema zu den hier erfaßten Titeln in älteren «Lutherbibliographien» weitere Titel zu finden oder in zukünftigen die Neuerscheinungen zu verfolgen.

A QUELLEN

1 Quellenkunde, Hilfsmittel

ALAND, KURT: Hilfsbuch zum Lutherstudium / bearb. in Verb. mit Ernst Otto Reichert und Gerhard Jordan. 4., neubearb. und erw. Aufl. Bielefeld 1996. – Es erfaßt 787 Schriften sowie Predigten und Briefe und weist nach, wo sie gedruckt sind.

BENZING, JOSEF: Lutherbibliographie: Verzeichnis der gedruckten Schriften Martin Luthers bis zu dessen Tod / bearb. in Verb. mit der Weimarer Ausgabe unter Mitarb. von Helmut Claus. Baden-Baden 1966.

–; HELMUT CLAUS: Lutherbibliographie: Verzeichnis der gedruckten Schriften Martin Luthers bis zu dessen Tod. Bd. 2. Mit Anhang: Bibel und Bibelteile in Luthers Übersetzung 1522–1546. Baden-Baden 1994.

BUCHWALD, GEORG: Luther-Kalendarium. KAWERAU, GUSTAV: Verzeichnis von Luthers Schriften. 2., durchges. Aufl. Leipzig 1929.

VOLZ, HANS; WOLGAST, EIKE: Geschichte der Lutherbriefeditionen vom 16. bis zum 19. Jahrhundert. In: Martin Luther: Werke: kritische Gesamtausgabe. Briefwechsel. Bd. 14. Weimar 1970, 353–632.

WOLGAST, EIKE; VOLZ, HANS: Geschichte der Luther-Ausgaben vom 16. bis zum 19. Jahrhundert. In: Martin Luther: Werke: kritische Gesamtausgabe. Bd. 60. Weimar 1980, 427–637.

BEYER, MICHAEL: Vulgatakonkordanzen als Hilfsmittel beim Übersetzen lateinischer Luthertexte. Lutherjahrbuch 56 (1989), 59–67.

FRÜHNEUHOCHDEUTSCHES GLOSSAR ZUR LUTHERSPRACHE / bearb. von Hans-Ulrich Delius unter Mitarb. von Michael Beyer. In: Martin Luther: Studienausgabe. Bd. 6 / in Zsarb. mit Michael Beyer, Helmar Junghans und Joachim Rogge hrsg. von Hans-Ulrich Delius. Leipzig 1999, 7–192.

FRÜHNEUHOCHDEUTSCHES WÖRTERBUCH / hrsg. von Robert R. Anderson; Ulrich Goebel; Oskar Reichmann. Bd. 1 ff. Berlin; New York 1989 ff.

GROSSE KONKORDANZ ZUR LUTHERBIBEL. Zürich; Stuttgart 1979. – 3., durchges. Aufl. 1993. – Lizenzausgabe. 2 Bde. Altenburg 1981. – Nachdruck. 1984.

LUTHERLEXIKON / hrsg. von Kurt Aland. Berlin 1956. (Luther deutsch; Ergbd. 3) – Stuttgart; Göttingen 1957 – 4., durchges. Aufl. Göttingen 1989.

SCHILLING, JOHANNES: Latinistische Hilfsmittel zum Lutherstudium. Lutherjahrbuch 55 (1988), 83–101.

STOLT, BIRGIT: Germanistische Hilfsmittel zum Lutherstudium. Lutherjahrbuch
46 (1979), 120–135.

2 Quellenausgaben

a) Wissenschaftliche Ausgaben

DIE BEKENNTNISSCHRIFTEN DER EVANGELISCH-LUTHERISCHEN KIRCHE / hrsg.
vom Deutschen Evangelischen Kirchenausschuß im Gedenkjahr der Augsbur-
gischen Konfession 1930. 2 Bde. Göttingen 1930. – Nachdrucke.
DOKUMENTE ZUR CAUSA LUTHERI (1517–1521) / hrsg. und komm. von Peter Fa-
bisch und Erwin Iserloh. 2 Bde. Münster 1988, 1991.
DIE GANTZE HEILIGE SCHRIFFT DEUDSCH. Wittenberg 1545. Letzte zu Luthers
Lebzeiten erschienene Ausgabe / hrsg. von Hans Volz unter Mitarb. von Heinz
Blanke. Textredaktion Friedrich Kur. 2 Bde., 1 Anhang. München 1972. – Ta-
schenbuchausgabe u. d. T.: Biblia: Das ist Die gantze Heilige Schrifft Deudsch
Auffs new zugericht. 3 Bde. München 1974.
LUTHER, MARTIN: Annotierungen zu den Werken des Hieronymus / hrsg. von
Martin Brecht und Christian Peters. Köln; Weimar; Wien 2000.
–: Sämmtliche Schriften / hrsg. von Johann Georg Walch. 24 Bde. Halle
1740–1753. [W¹] – Überarb. Neuaufl. St. Louis, Mo. 1880–1910. – Nachdruck
der Neuaufl. Groß Oesingen 1986–1987. [W²]
–: Studienausgabe / in Zsarb. mit Michael Beyer, Helmar Junghans, Reinhold
Pietz, Joachim Rogge und Günther Wartenberg hrsg. von Hans-Ulrich Delius.
Bd. 1 ff. Berlin; Leipzig 1979 ff. [Bis 1999 sind 6 Bde. erschienen.]
–: Werke: kritische Gesamtausgabe. Weimar [Standardausgabe]
 – Schriften. Bd. 1–67. 1883–2000. [Es erscheinen noch fünf Bde. deutsches
Sachregister und ein Bibelstellenregister.] – Bd. 1–54. 56–58 I. Unv. Nach-
druck. Weimar; Graz 1964–1970. – 2., unv. Nachdruck. Weimar; Graz ab 1986.
[WA]
 – Revisionsnachträge zu Bd. 30 II; 30 III; 32; 33; 41; 48. 1963–1974. [RN]
 – Neuedition von Bd. 5. Operationes in psalmos: 1519–1521. Teil 1–2. Köln;
Wien 1991, 1981. (Archiv zur Weimarer Ausgabe der Werke Martin Luthers;
1–2) [Der abschließende Teil 3 steht noch aus.]
 – Luthers geistliche Lieder und Kirchengesänge: vollständige Neuedition in Er-
gänzung zu Band 35 der Weimarer Ausgabe / bearb. von Markus Jenny. Köln;
Wien 1985. (Archiv zur Weimarer Ausgabe der Werke Martin Luthers; 4)
 – Deutsche Bibel. Bd. 1–12. 1906–1921. – Unv. Nachdruck Weimar; Graz
1968–1972. [WA DB]
Tischreden. Bd. 1–6. 1912–1921. – Unv. Nachdruck Weimar; Graz 1967. [WA
TR]
 – Briefwechsel. Bd. 1–18. 1930–1985. – Bd. 1–14. Unv. Nachdruck Weimar;
Graz 1969–1989. [WA Br]
–: Werke: kritische Gesamtausgabe. Sonderausgabe. Weimar 2000 ff. [Es handelt
sich um einen unv., preiswerten Nachdruck mit um 5 % verkleinertem Satzspie-
gel, der bis 2007 abgeschlossen sein soll.]
 – Tischreden. Bd. 1–6. Weimar 2000; mit einem «Begleitheft zu den Tisch-
reden», das in die Geschichte der Weimarer Luther-Ausgabe und in die Überlie-
ferung und die Gestaltung der Tischreden einführt.]
–: Werke in Auswahl / unter Mitarb. von Albert Leitzmann hrsg. von Otto Cle-
men; Erich Vogelsang; Hanns Rückert; Emanuel Hirsch. Bd. 1–8. Bonn
1912–1933. – Neuaufl. Berlin 1950–1955. – Bd. 1–4. 6. Aufl. 1966–1967.
Nachdruck 1983. – Bd. 5–8. 3. Aufl. 1962–1966. [«Bonner Ausgabe» – Cl]

SCHULZ, FRIEDER: Die Gebete Luthers: Edition, Bibliographie und Wirkungsgeschichte. Gütersloh 1976.

b) Volkstümliche Ausgaben

1521–1971: Luther in Worms; ein Quellenbuch / hrsg. von Joachim Rogge. Berlin 1971.

LUTHER DEUTSCH: die Werke Martin Luthers in neuer Auswahl für die Gegenwart / hrsg. von Kurt Aland. 10 Bde. und ein Registerbd. Bd. 3–9. Gotha; Berlin 1948–1955: abgeschlossen Stuttgart; Göttingen 1959–1970. – 2., 3. (teils durchges.) und 4. Aufl. einzelner Bände. Göttingen 1965–1990. – Taschenbuchausgabe. Göttingen 1991.

LUTHER, MARTIN: Ausgewählte Schriften / hrsg. von Karin Bornkamm und Gerhard Ebeling. 6 Bde. Frankfurt am Main 1982. – Nachdruck. 1995. – Taschenbuchausgabe. 1990.

–: Ausgewählte Werke: Schriften, Predigten, Zeugnisse für die Gemeinde von heute dargeboten und verdolmetscht / hrsg. von Wolfgang Metzger. 6 Bde. Stuttgart 1930. – Taschenbuchausgabe u. d. T.: Calwer Luther-Ausgabe. 10 Bde. München 1964–1968. – 2. Aufl. Gütersloh 1977–1979. – Lizenzausgabe. Neuhausen-Stuttgart 1996.

–: Taschenausgabe: Auswahl in fünf Bänden / hrsg. von Horst Beintker, Helmar Junghans und Hubert Kirchner. Berlin 1981–1984.

MARTIN LUTHER: 1483–1546; Dokumente seines Lebens und Wirkens / Redaktion: Reiner Groß; Manfred Kobuch; Ernst Müller. Weimar 1983.

3 Bildbiographien

DIWALD, HELLMUT; JÜRGENS, KARL-HEINZ: Martinus LutheR D.: Lebensbilder. Bergisch Gladbach 1982. – 2. Aufl. 1983.

MANNS, PETER: Martin Luther / mit 96 Farbtaf. von Helmuth Nils Loose und einem Geleitwort von Eduard Lohse. Freiburg; Basel; Wien; Lahr 1982. – 2. Aufl. 1983.

MARTIN LUTHER: sein Leben in Bildern und Texten / Einführung von Gerhard Ebeling; hrsg. von Gerhard Bott; Gerhard Ebeling und Bernd Moeller. Frankfurt am Main 1983.

ROGGE, JOACHIM: Martin Luther: sein Leben, seine Zeit, seine Wirkung: eine Bildbiographie. Berlin 1982. – 2., durchges. Aufl. 1984.

THULIN, OSKAR: Martin Luther: sein Leben in Bildern und Zeitdokumenten. München; Berlin 1958. – 2. Aufl. 1964.

4 Ausstellungen, Lutherstätten

BADSTÜBNER-GRÖGER, SIBYLLE; FINDEISEN, PETER: Martin Luther: Städte, Stätten, Stationen: eine kunstgeschichtliche Dokumentation. Leipzig 1983.

DIE DENKMALE DER LUTHERSTADT WITTENBERG / bearb. von Fritz Bellmann, Marie-Luise Harksen und Roland Werner. Weimar 1979.

EBRUY, FRITZ: Luther-Gedenkstätten in Eisleben / hrsg. von den Museen der Lutherstadt Eisleben. Naumburg 1983.

ERFURT: Geschichte und Gegenwart / hrsg. von Ulman Weiß. Weimar 1995.

JUNGHANS, HELMAR: Martin Luther und Wittenberg. München; Berlin 1996.

KUNST DER REFORMATIONSZEIT: Staatliche Museen zu Berlin, Hauptstadt der DDR; Ausstellung im Alten Museum vom 26. August bis 13. November 1983. Berlin 1983.

LUTHER IN EISENACH / Herbert von Hintzenstern; mit Zeichnungen von Erich Bock. 6., veränd. Aufl. Jena 1991.

MARTIN LUTHER: Stätten seines Lebens und Wirkens / hrsg. vom Institut für Denkmalpflege der DDR. Berlin 1983.

MARTIN LUTHER AUF DER VESTE COBURG: ein Wegweiser durch die Lutherzimmer und die Sonderausstellung zum Lutherjahr 1983 / bearb. von Susanne Netzer und Roland Schorr. Coburg 1983.

MARTIN LUTHER BEI UNS IN ERFURT: Erfurter Lutherstätten und Altstadtplan / bearb. von Heidemarie Schirmer. Erfurt 1996.

MARTIN LUTHER IN ERFURT: historic places in the city associated with Martin Luther and a map of the old city centre (Martin Luther bei uns in Erfurt ‹dt.›) / bearb. von Heidemarie Schirmer; übers. von John Gledhill. Erfurt 1996.

MARTIN LUTHER UND DIE REFORMATION IN DEUTSCHLAND: Ausstellung zum 500. Geburtstag Martin Luthers; veranstaltet vom Germanischen Nationalmuseum Nürnberg in Zsarb. mit dem Verein für Reformationsgeschichte. Frankfurt am Main 1983.

MÜNZEN UND MEDAILLEN ZUR REFORMATION: 16. bis 20. Jahrhundert; aus dem Besitz des Kestner-Museums Hannover / hrsg. von Margildis Schlüter. Hannover 1983.

NOTH, WERNER: Die Wartburg: Denkmal und Museum; mit Aufnahmen von Klaus G. Beyer. Leipzig 1983. – 2. Aufl. 1985.

PROTOKOLLBAND ZUM KOLLOQUIUM ANLÄSSLICH DER ERSTEN URKUNDLICHEN ERWÄHNUNG EISLEBENS AM 23. NOVEMBER 994 / hrsg. von der Verwaltung der Lutherstadt Eisleben. Halle 1995.

SCHELL, HUGO: Martin Luther und die Reformation auf Münzen und Medaillen. München 1983.

700 JAHRE WITTENBERG: Stadt, Universität, Reformation / im Auftrag der Lutherstadt Wittenberg hrsg. von Stefan Oehmig. Weimar 1995.

STEINWACHS, ALBRECHT: Evangelische Stadt- und Pfarrkirche St. Marien Lutherstadt Wittenberg / Fotografien von Jürgen M. Pietsch. Spröda 2000.

VON DER KAPELLE ZUM NATIONALDENKMAL: die Wittenberger Schloßkirche / hrsg. von Martin Steffens und Insa Christiane Hennen. Wittenberg 1998.

B DARSTELLUNGEN

1 Biographische Darstellungen

a) Das gesamte Leben Luthers

BAINTON, ROLAND H.: Here I stand: a life of Martin Luther. New York 1950. – Dt: Hier stehe ich: das Leben Martin Luthers. Göttingen 1952. – 7., überarb. Aufl. / hrsg. von Bernhard Lohse. 1980. – Überarb. Lizenzausgabe. Berlin 1983.

BEYS, BARBARA: Und wenn die Welt voll Teufel wär: Luthers Glaube und seine Erben. Reinbek 1982.

BRECHT, MARTIN: Luther, Martin (1483–1546) I: Leben. Theol. Realenzyklopädie. Bd. 21. Berlin; New York 1991, 514–530.

–: Martin Luther. Bd. 1: Sein Weg zur Reformation: 1483–1521. Stuttgart 1981. – 2. Aufl. 1983. – Lizenzausgabe. Berlin 1986.

Bd. 2: Ordnung und Abgrenzung der Reformation: 1521–1532. Stuttgart 1986. – Lizenzausgabe. Berlin 1989.

Bd. 3: Die Erhaltung der Kirche: 1532–1546. Stuttgart 1987. – 3., durchges. Aufl. 1990.

BRENDLER, GERHARD: Martin Luther: Theologie und Revolution. Berlin; Köln 1983.

DIWALD, HELLMUT: Luther: eine Biographie. Bergisch Gladbach 1982. – 3. Aufl. 1985.

FAUSEL, HEINRICH: D. Martin Luther: sein Leben und Werk 1483 bis 1546. 2 Bde. München; Hamburg 1966. – 3. Aufl. Gütersloh 1977. – Lizenzausgabe. Neuhausen-Stuttgart 1996. [mit vielen Quellentexten]

GRITSCH, ERIC W.: Martin – God's court jester: Luther in retrospect. Philadelphia 1983.

HERRMANN, HORST: Martin Luther: Ketzer wider Willen. München 1983.

KITTELSON, JAMES M.: Luther the reformer: the story of the man and his career. Minneapolis 1986.

KÖSTLIN, JULIUS: Martin Luther: sein Leben und seine Schriften. 2 Bde. Elberfeld 1875. – 5., neubear. Aufl. / fortgef. von Gustav Kawerau. 2 Bde. Berlin 1903.

LIENHARD, MARC: Martin Luther: un temps, une vie, un message. Paris 1983.

LOEWENICH, WALTHER VON: Martin Luther: der Mann und das Werk. München 1982.

LOHSE, BERNHARD: Martin Luther: eine Einführung in sein Leben und sein Werk. München 1981. – 2., durchges. Aufl. 1982. – Lizenzausgabe. Berlin 1983. – 3., vollständig überarb. Aufl. 1997.

MANNS, PETER: Martin Luther: der unbekannte Reformator; ein Lebensbild / Vorwort von Eduard Lohse. Freiburg; Basel; Wien 1985.

OBERMAN, HEIKO A.: Luther: Mensch zwischen Gott und Teufel. Berlin 1982.

SCHWARZ, REINHARD: Luther. Göttingen 1986. (Die Kirche in ihrer Geschichte; 3, 1)

TODD, JOHN M.: Luther: a life. London; New York 1982.

ZAHRNT, HEINZ: Martin Luther in seiner Zeit – für unsere Zeit. München 1983.

b) Einzelne Lebensphasen oder Lebensdaten

ALAND, KURT: Die 95 Thesen Martin Luthers und die Anfänge der Reformation. Gütersloh 1983.

BAYER, OSWALD: Promissio: Geschichte der reformatorischen Wende in Luthers Theologie. Göttingen 1971.

BOEHMER, HEINRICH: Der junge Luther. Gotha 1925. – 6., durchges. Aufl. Stuttgart 1971. – 7. Aufl. Leipzig 1955.

BORNKAMM, HEINRICH: Martin Luther in der Mitte seines Lebens: das Jahrzehnt zwischen dem Wormser und dem Augsburger Reichstag / aus dem Nachlaß hrsg. von Karin Bornkamm. Göttingen 1979.

–: Thesen und Thesenanschlag Luthers: Geschehen und Bedeutung. Berlin 1967.

DER DURCHBRUCH DER REFORMATORISCHEN ERKENNTNIS BEI LUTHER / hrsg. von Bernhard Lohse. Darmstadt 1968.

DER DURCHBRUCH DER REFORMATORISCHEN ERKENNTNIS BEI LUTHER: neuere Untersuchungen / hrsg. von Bernhard Lohse. Stuttgart 1988.

EDWARDS, MARK U.: Luther's last battles: politics and polemics, 1531–46. Ithaca; London 1983.

FELDMANN, HARALD: Martin Luthers Krankheiten. In: Der Mensch Luther und sein Umfeld: Katalog der Ausstellung zum 450. Todesjahr 1996, Wartburg und Eisenach / hrsg. von der Wartburg-Stiftung Eisenach; Gesamtkonzeption und Redaktion: Jutta Krauß; Günter Schuchardt. Gotha 1996, 93–98.

GRANE, LEIF: Martinus noster: Luther in the German reform movement 1518–1521. Mainz 1994.

–: Modus loquendi theologicus: Luthers Kampf um die Erneuerung der Theologie (1515–1518). Leiden 1975.

HINTZENSTERN, HERBERT VON: 300 Tage Einsamkeit: Dokumente und Daten aus Luthers Wartburgzeit. Berlin 1967.

LAU, FRANZ: Die gegenwärtige Diskussion um Luthers Thesenanschlag: Sachstandbericht und Versuch einer Weiterführung durch Neuinterpretation von Dokumenten. Lutherjahrbuch 34 (1967), 11 – 59.

LEBEN UND WERK MARTIN LUTHERS VON 1526 BIS 1546: Festgabe zu seinem 500. Geburtstag / im Auftrag des Arbeitskreises für Reformationsgeschichtliche Forschung hrsg. von Helmar Junghans. 2 Bde. Berlin; Göttingen 1983. – 2. Aufl. Berlin 1985.

MARON, GOTTFRIED: Martin Luther und Epikur: ein Beitrag zum Verständnis des alten Luther. Hamburg 1988.

NEUMANN, HANS-JOACHIM: Luthers Leiden: die Krankheitsgeschichte des Reformators. Berlin 1995. – 2. Tsd. 1998.

DER REICHSTAG ZU WORMS 1521: Reichspolitik und Luthersache / im Auftrag der Stadt Worms zum 450-Jahrgedenken in Verb. mit ... hrsg. von Fritz Reuter. Worms 1971.

ROGGE, JOACHIM: Anfänge der Reformation: der junge Luther 1483 – 1521. Der junge Zwingli 1484 – 1523. Berlin 1983. (Kirchengeschichte in Einzeldarstellungen; 2, 3 f) – 2. Aufl. 1985.

SCHEEL, OTTO: Martin Luther: vom Katholizismus zur Reformation. 2 Bde. Tübingen 1916 – 1917. – 3., verb. und verm. Aufl. 1921 – 1930.

VOSSBERG, HERBERT: Im heiligen Rom: Luthers Reiseeindrücke 1510 – 1511. Berlin 1966.

c) Familie

BORNKAMM, KARIN: «Gott gab mir Frau und Kinder»: Luther als Ehemann und Familienvater. Wartburg-Jahrbuch: Sonderband 1996. Eisenach 1996, 63 – 83.

KATHARINA VON BORA, DIE LUTHERIN: Aufsätze anläßlich ihres 500. Geburtstages / hrsg. von Martin Treu im Auftrag der Stiftung Luthergedenkstätten in Sachsen-Anhalt. Wittenberg 1999.

KROKER, ERNST: Katharina von Bora: Martin Luthers Frau; ein Lebens- und Charakterbild. Halle 1906. – 16. Aufl. Berlin 1983.

MÖNCHSHURE UND MORGENSTERN: «Katharina von Bora, die Lutherin»; im Urteil der Zeit als Nonne, eine Frau von Adel, als Ehefrau und Mutter, eine Wirtschafterin und Saumärktin, als Witwe / hrsg. vom Evang. Predigerseminar Lutherstadt Wittenberg. Wittenberg 1999.

SIGGINS, IAN: Luther and his mother. Philadelphia 1981.

TREU, MARTIN: Katharina von Bora. Wittenberg 1995. – 3. Aufl. 1999.

2 Luthers Theologie und einzelne Seiten seines Wirkens

a) Gesamtdarstellungen seiner Theologie

ALTHAUS, PAUL: Die Theologie Martin Luthers. Gütersloh 1962. – 7. Aufl. 1994.

ASENDORF, ULRICH: Die Theologie Martin Luthers nach seinen Predigten. Göttingen 1988.

KORSCH, DIETRICH: Martin Luther zur Einführung. Hamburg 1997.

LOHSE, BERNHARD: Luthers Theologie in ihrer historischen Entwicklung und ihrem systematischen Zusammenhang. Göttingen 1995.

MANNS, PETER: Vater im Glauben: Studien zur Theologie Martin Luthers. Wiesbaden 1988.

MOSTERT, WALTER: Glaube und Hermeneutik: gesammelte Aufsätze / hrsg. von

Pierre Bühler und Gerhard Ebeling unter Mitw. von Jan Bauke … Tübingen 1998.

Oesch, Wilhelm M.: Solus Christus – solus scriptura: Grundzüge Lutherischer Theologie / hrsg. von Dieter Oesch. Oesingen 1996.

Scharffenorth, Gerta: Den Glauben ins Leben ziehen …: Studien zu Luthers Theologie. München 1982.

Zur Mühlen, Karl-Heinz: Luther, Martin (1483 – 1546) II: Theologie. Theol. Realenzyklopädie. Bd. 21. Berlin; New York 1991, 530 – 567.

–: Nos extra nos: Luthers Theologie zwischen Mystik und Scholastik. Tübingen 1972.

b) Gott, Schöpfung, Mensch

Beutel, Albrecht: Antwort und Wort: zur Frage nach der Wirklichkeit Gottes bei Luther. In: Ders.: Protestantische Konkretionen: Studien zur Kirchengeschichte. Tübingen 1998, 28 – 44.

Brush, Jack E.: Gotteserkenntnis und Selbsterkenntnis: Luthers Verständnis des 51. Psalms. Tübingen 1997.

Ebeling, Gerhard: Disputatio de homine. 3 Bde. Tübingen 1977, 1982, 1989.

Helmer, Christine: The trinity and Martin Luther: a study on the relationship between genre, language and the trinity in Luther's works (1523 – 1546). Mainz 1999.

Jansen, Reiner: Studien zu Luthers Trinitätslehre. Frankfurt / M. 1976.

Joest, Wilfried: Ontologie der Person bei Luther. Göttingen 1967.

Luther und Theosis: Vergöttlichung als Thema der abendländischen Theologie; Referate der Fachtagung der Luther-Akademie Ratzeburg in Helsinki 30. 3. – 2. 4. 1989 / hrsg. von Simo Peura und Antti Raunio. Helsinki 1990.

Malter, Rudolf: Das reformatorische Denken und die Philosophie: Luthers Entwurf einer transzendent-praktischen Metaphysik. Bonn 1980.

Prenter, Regin: Spiritus rector: Studien zu Luthers Theologie. München 1954.

Reinhuber, Thomas: Kämpfender Glaube: Studien zu Luthers Bekenntnis am Ende von De servo arbitrio. Berlin; New York 2000.

c) Christus

Asendorf, Ulrich: Gekreuzigt und Auferstanden: Luthers Herausforderung an die moderne Christologie. Hamburg 1971.

Barth, Hans-Martin: Der Teufel und Jesus Christus in der Theologie Martin Luthers. Göttingen 1967.

Behnk, Wolfgang: Contra liberum arbitrium pro gratia dei: Willenslehre und Christuszeugnis bei Luther und ihre Interpretation durch die neuere Lutherforschung: eine systematisch-theologiegeschichtliche Untersuchung. Frankfurt am Main; Bern 1982.

Blaumeiser, Hubertus: Martin Luthers Kreuzestheologie: Schlüssel zu seiner Deutung von Mensch und Wirklichkeit; eine Untersuchung anhand der Operationes in Psalmos (1519 – 1521). Paderborn 1995.

Bornkamm, Karin: Christus – König und Priester: das Amt Christi bei Luther im Verhältnis zur Vor- und Nachgeschichte. Tübingen 1998.

Lienhard, Marc: Martin Luthers christologisches Zeugnis: Entwicklung und Grundzüge seiner Christologie (Luther: témoin de Jésus-Christ ‹dt.›) / übers. von Robert Wolff. Berlin; Göttingen 1980.

Posset, Franz: Luther's catholic Christology: according to his Johannine lecture of 1527. Milwaukee, Wisconsin 1988.

Rieske-Braun, Uwe: Duellum mirabile: Studien zum Kampfmotiv in Martin Luthers Theologie. Göttingen 1999.

Saarinen, Risto: Gottes Wirken auf uns: die transzendentale Deutung des Gegenwart-Christi-Motivs in der Lutherforschung. Stuttgart 1989.

Vorländer, Dorothea: Deus incarnatus: die Zweinaturenchristologie Luthers bis 1521. Witten 1974.

d) Kirche, Kirchenrecht, Bekenntnisse

Aurelius, Carl Axel: Verborgene Kirche: Luthers Kirchenverständnis aufgrund seiner Streitschriften und Exegese 1519–1521. Hannover 1983.

Götze, Ruth: Wie Luther Kirchenzucht übte: eine kritische Untersuchung von Luthers Bannsprüchen und ihrer exegetischen Grundlegung aus der Sicht unserer Zeit. Göttingen 1959.

Hendrix, Scott H.: Ecclesia in via: ecclesiological developments in the medieval psalms exegesis and the Dictata super Psalterium (1513–1515) of Martin Luther. Leiden 1974.

Kleinknecht, Hermann: Gemeinschaft ohne Bedingungen: Kirche und Rechtfertigung in Luthers großer Galaterbrief-Vorlesung von 1531. Stuttgart 1981.

Lienhard, Marc: L'évangile et l'église chez Luther. Berlin 1989.

Neebe, Gudrun: Apostolische Kirche: Grundunterscheidungen an Luthers Kirchenbegriff unter besonderer Berücksichtigung seiner Lehre von den notae ecclesiae. Berlin; New York 1997.

Vercruysse, Josef: Fides populus: eine Untersuchung über die Ecclesiologie in Martin Luthers «Dictata super Psalterium». Wiesbaden 1968.

e) Taufe, Abendmahl, Beichte, Ehe

Grönvik, Lorenz: Die Taufe in der Theologie Martin Luthers. Åbo; Göttingen 1968.

Huovinen, Eero: Fides infantium: Martin Luthers Lehre vom Kinderglauben. Mainz 1997.

Peters, Albrecht: Realpräsenz: Luthers Zeugnis von Christi Gegenwart im Abendmahl. Berlin 1960. – 2. Aufl. 1966.

Schwab, Wolfgang: Entwicklung und Gestalt der Sakramentstheologie bei Martin Luther. Frankfurt a. M. 1977.

Stock, Ursual: Die Bedeutung der Sakramente in Luthers Sermonen von 1519. Leiden 1982.

f) Amt, Seelsorge, Diakonie, Gemeinde, allgemeines Priestertum

Ebeling, Gerhard: Luthers Seelsorge: Theologie in der Vielfalt der Lebenssituation an seinen Briefen dargestellt. Tübingen 1997.

Goertz, Harald: Allgemeines Priestertum und ordiniertes Amt bei Luther. Marburg 1997.

Mennecke-Haustein, Ute: Luthers Trostbriefe. Gütersloh 1989.

Martin Luther und das Bischofsamt / hrsg. von Martin Brecht. Stuttgart 1990.

Stein, Wolfgang: Das kirchliche Amt bei Luther. Wiesbaden 1974.

g) Gnade, Glaube, Rechtfertigung, Werke

Althaus, Paul: Die Ethik Martin Luthers. Gütersloh 1965.

Haikola, Lauri: Usus legis. Helsinki 1981.

HARRAN, MARYLIN J.: Luther on conversion: the early years. Ithaca; London 1983.

HOHENBERGER, THOMAS: Lutherische Rechtfertigungslehre in den reformatorischen Flugschriften der Jahre 1521–22. Tübingen 1996.

MANNERMAA, TUOMO: Der im Glauben gegenwärtige Christus: Rechtfertigung und Vergottung; zum ökumenischen Dialog. Hannover 1989.

METZGER, GÜNTHER: Gelebter Glaube: die Formierung reformatorischen Denkens in Luthers 1. Psalmenvorlesung; dargestellt am Begriff des Affekts. Göttingen 1964.

MODALSLI, OLE: Das Gericht nach den Werken: ein Beitrag zu Luthers Lehre vom Gesetz. Göttingen 1963.

PEURA, SIMON: Mehr als ein Mensch?: die Vergöttlichung als Thema der Theologie Martin Luthers von 1513 bis 1519. Mainz 1994.

PRENTER, REGIN: Der barmherzige Richter: iustitia dei passiva in Luthers Dictata super Psalterium 1513–1515. Aarhus; København 1961.

WÖHLE, ANDREAS H.: Luthers Freude an Gottes Gesetz: eine historische Quellenstudie zur Oszillation des Gesetzesbegriffes Martin Luthers im Licht seiner alttestamentlichen Predigten. Frankfurt am Main 1998.

h) Sozialethik, politische Ethik, Geschichte

BURANDT, CHRISTIAN BOGISLAV: Der eine Glaube zu allen Zeiten: Luthers Sicht der Geschichte aufgrund der Operationes in psalmos 1519–1521. Hamburg 1997.

GÄNSSLER, HANS-JOACHIM: Evangelium und weltliches Schwert: Hintergrund, Entstehungsgeschichte und Anlaß von Luthers Scheidung zweier Reiche und Regimente. Wiesbaden 1983.

HAKAMIES, AHTI: «Eigengesetzlichkeit» der natürlichen Ordnungen als Grundproblem der neueren Lutherdeutung: Studien zur Geschichte und Problematik der Zwei-Reiche-Lehre Luthers. Witten 1971.

HESSE, HELMUT: Über Luthers «Von Kauffshandlung und Wucher». MÜLLER, GERHARD: Zu Luthers Sozialethik. Düsseldorf 1987.

LAU, FRANZ: Luthers Lehre von den beiden Reichen. Berlin 1952.

MÜLLER, NORBERT: Evangelium und politische Existenz: die lutherische Zwei-Reiche-Lehre und die Forderungen der Gegenwart. Berlin 1983.

PAWLAS, ANDREAS: Die lutherische Berufs- und Wirtschaftsethik: eine Einführung. Neukirchen-Vluyn 2000.

RIETH, RICARDO: «Habsucht» bei Martin Luther. Weimar 1996.

i) Gottes Wort, Bibel, Predigt, Sprache

ARNDT, ERWIN; BRANDT, GISELA: Luther und die deutsche Sprache: Wie redet der Deudsche man jnn solchem fall? Leipzig 1983. – 2., unv. Aufl. 1987.

BEUTEL, ALBRECHT: Erfahrene Bibel: Verständnis und Gebrauch des verbum dei scriptum bei Luther. In: Ders.: Protestantische Konkretionen: Studien zur Kirchengeschichte. Tübingen 1998, 66–103.

–: In dem Anfang war das Wort: Studien zu Luthers Sprachverständnis. Tübingen 1991.

–: «Scriptura ita loquitur, cur non nos?: Sprache des Glaubens bei Luther. In: Ders.: Protestantische Konkretionen: Studien zur Kirchengeschichte. Tübingen 1998, 104–123.

BUCHHOLZ, ARMIN: Schrift Gottes im Lehrstreit: Luthers Schriftverständnis und Schriftauslegung in seinen drei großen Lehrstreitigkeiten der Jahre 1521–28. Frankfurt am Main; Berlin; Bern … 1993.

EBELING, GERHARD: Evangelische Evangelienauslegung: eine Untersuchung zu Luthers Hermeneutik. München 1941. – 3., durchges. und erw. Aufl. Tübingen 1991.

GEHRING, HANS-ULRICH: Schriftprinzip und Rezeptionsästhetik: Rezeption in Martin Luthers Predigt und bei Hans Robert Jauß. Neukirchen-Vluyn 1999.

GELHAUS, HERMANN: Der Streit um Luthers Bibelverdeutschung im 16. und 17. Jahrhundert. Tübingen 1989.

HÖVELMANN, HARTMUT: Kernstellen der Lutherbibel: eine Anleitung zum Schriftverständnis. Bielefeld 1989.

HOFMANN, HANS-ULRICH: Luther und die Johannes-Apokalypse: dargestellt im Rahmen der Auslegungsgeschichte des letzten Buches der Bibel im Zusammenhang der theologischen Entwicklung des Reformators. Tübingen 1982.

JUNGHANS, HELMAR: Martin Luther und die Rhetorik. Stuttgart; Leipzig 1998.

KAISER, BERNHARD: Luther und die Auslegung des Römerbriefes: eine theologisch-geschichtliche Beurteilung. Bonn 1995.

LUTHERS DEUTSCH: sprachliche Leistung und Wirkung / hrsg. von Herbert Wolf. Frankfurt am Main; Berlin; Bern ... 1996.

NEMBACH, ULRICH: Predigt des Evangeliums: Luther als Prediger, Pädagoge und Rhetor. Neukirchen-Vluyn 1972.

RAEDER, SIEGFRIED: Die Benutzung des masoretischen Textes bei Luther in der Zeit zwischen der ersten und zweiten Psalmenvorlesung (1515–1518). Tübingen 1967.

–: Grammatica theologica: Studien zu Luthers Operationes in Psalmos. Tübingen 1977.

–: Das Hebräische bei Luther untersucht bis zum Ende der ersten Psalmenvorlesung. Tübingen 1961.

REINITZER, HEIMO: Biblia deutsch: Luthers Bibelübersetzung und ihre Tradition. Wolfenbüttel 1983.

SCHLICHT, MATTHIAS: Luthers Vorlesung über Psalm 90: Überlieferung und Theologie. Göttingen 1994.

SCHMIDT-LAUBER, GABRIELE: Luthers Vorlesung über den Römerbrief 1515 / 16: ein Vergleich zwischen Luthers Manuskript und den studentischen Nachschriften. Köln; Weimar; Wien 1994.

STOLT, BIRGIT: Martin Luthers Rhetorik des Herzens. Tübingen 2000.

VOLZ, HANS: Martin Luthers deutsche Bibel: Entstehung und Geschichte der Lutherbibel / eingel. von Friedrich Wilhelm Kantzenbach; hrsg. von Henning Wendland. Hamburg 1978.

WIEDEN, SUSANNE BEI DER: Luthers Predigten des Jahres 1522. Köln; Weimar; Wien 1999.

WOLF, HERBERT: Martin Luther: eine Einführung in germanistische Luther-Studien. Stuttgart 1980. – Durchges. Lizenzausgabe. Berlin 1983.

k) Gottesdienst, Gebet, Kirchenlied, Musik

HAHN, GERHARD: Evangelium als literarische Anweisung: zu Luthers Stellung in der Geschichte des deutschen kirchlichen Liedes. München; Zürich 1983.

EBELING, GERHARD: Beten als Wahrnehmung der Wirklichkeit des Menschen, wie Luther es lehrte und lebte. Lutherjahrbuch 66 (1999), 151–166.

GUICHARROUSSE, HUBERT: Musik und Theologie im Werk Martin Luthers: zur Entwicklung der Musikauffassung im frühen 16. Jahrhundert. Luth. Kirche in der Welt 41 (1993), 113–128.

–: Les musiques de Luther / Vorwort von Marc Lienhard. Genf 1995.

JENNY, MARKUS: Luther, Zwingli, Calvin in ihren Liedern. Zürich 1983.

JUNGHANS, HELMAR: Luthers Gottesdienstreform: Konzept oder Verlegenheit? In:

Herausforderung Gottesdienst/hrsg. von Reinhold Morath und Wolfgang Ratzmann. Leipzig 1997, 77–92.

MEYER, HANS BERNHARD: Luther und die Messe: eine liturgiewissenschaftliche Untersuchung über das Verhältnis Luthers zum Meßwesen des späten Mittelalters. Paderborn 1965.

SCHNEIDER, MARTIN GOTTHARD: Martin Luther und die Musik. In: Zugänge zu Martin Luther: Ringvorlesung an der Pädagogischen Hochschule Freiburg zum Lutherjahr 1996/hrsg. von Reinhard Wunderlich und Bernd Feininger. Frankfurt am Main; Berlin; Bern ... 1997, 43–59.

SCHULZ, FRIEDER: Mit Singen und Beten: Forschungen zur christlichen Gebetsliteratur und zum Kirchengesang; gesammelte Aufsätze mit Nachträgen 1994/hrsg. von Alexander Völker. Hannover 1995.

VAJTA, VILMOS: Die Theologie des Gottesdienstes bei Luther. Göttingen 1952. – 3. Aufl. 1959.

VEIT, PATRICE: Das Kirchenlied in der Reformation Martin Luthers: eine thematische und semantische Untersuchung. Stuttgart 1986.

WERTELIUS, GUNNAR: Oratio continua: Das Verhältnis zwischen Glaube und Gebet in der Theologie Martin Luthers. Lund 1970.

l) Katechismus, Konfirmation, Universität, Schule

BEUTEL, ALBRECHT: «Gott fürchten und lieben»: zur Entstehungsgeschichte der lutherischen Katechismusformel. In: Ders.: Protestantische Konkretionen: Studien zur Kirchengeschichte. Tübingen 1998, 45–65.

FRIEDENSBURG, WALTER: Geschichte der Universität Wittenberg. Halle a. S. 1917.

HARRAN, MARYLIN J.: Martin Luther: learning for life. Saint Louis 1997.

KIBE, TAKASHI: Frieden und Erziehung in Martin Luthers Drei-Stände-Lehre: ein Beitrag zur Klärung des Zusammenhangs zwischen Integration und Sozialisation im politischen Denken des frühneuzeitlichen Deutschlands. Frankfurt am Main; Berlin; Bern ... 1996.

LUTHER AND LEARNING: the Wittenberg university Luther symposium/hrsg. von Marylin J. Harran. Selinsgrove; London and Toronto 1985.

MARTIN LUTHER UND SEINE UNIVERSITÄT: Vorträge anläßlich des 450. Todestages des Reformators/im Auftrag der Stiftung Leucorea an der Martin-Luther-Universität Wittenberg hrsg. von Heiner Lück. Köln; Weimar; Wien 1998.

MEDING, WICHMANN VON: Luthers Katechismustheologie. Lutherjahrbuch 68 (2001), 11–46.

PETERS, ALBRECHT: Kommentar zu Luthers Katechismus/hrsg. von Gottfried Seebaß. 5 Bde. Göttingen 1990–1994.

m) Weitere Einzelprobleme

BLÖCHLE, HERBERT: Luthers Stellung zum Heidentum im Spannungsfeld von Tradition, Humanismus und Reformation. Frankfurt am Main; Berlin; Bern ... 1995.

... DA TOD UND LEBEN RUNGEN: Tod und Leben in der Sicht Martin Luthers und heute/hrsg. vom Evang. Predigerseminar Lutherstadt Wittenberg. Wittenberg 1996.

HAUSTEIN, JÖRG: Martin Luthers Stellung zum Zauber- und Hexenwesen. Stuttgart 1990.

–: Zwischen Aberglaube und Wissenschaft: Zauberei und Hexen in der Sicht Martin Luthers. In: Martin Luther und der Bergbau im Mansfelder Land: Aufsätze/hrsg. von Rosemarie Knape. Lutherstadt Eisleben 2000, 327–337.

JACOBI, THORSTEN: «Christen heißen Freie»: Luthers Freiheitsaussagen in den Jahren 1515–1519. Tübingen 1997.
LIEBALL, JOSEF: Martin Luthers Madonnenbild: eine ikonographische und mariologische Studie. Stein am Rhein 1981.

3 Beurteilung der Persönlichkeit und ihres Werkes

EUROPA IN DER KRISE DER NEUZEIT: Martin Luther; Wandel und Wirkung seines Bildes / hrsg. von Susanne Heine. Wien; Köln; Graz 1986.
KOLB, ROBERT: Martin Luther as prophet, teacher, hero: images of the reformer, 1520–1620. Grand Rapids, MI; Carlisle, Cumbria 1999.
VERCRUYSSE, JOS E.: Luther in der römisch-katholischen Theologie und Kirche. Lutherjahrbuch 63 (1996), 103–128.

4 Luthers Beziehungen zu früheren Strömungen, Gruppen, Persönlichkeiten und Ereignissen

AUCTORITAS PATRUM: zur Rezeption der Kirchenväter im 15. und 16. Jahrhundert / hrsg. von Leif Grane; Alfred Schindler; Markus Wriedt. Mainz 1993.
AUCTORITAS PATRUM: neue Beiträge zur Rezeption der Kirchenväter im 15. und 16. Jahrhundert / hrsg. von Leif Grane; Alfred Schindler; Markus Wriedt. Mainz 1998.
BELL, THEO: Divus Bernhardus: Bernhard von Clairvaux in Martin Luthers Schriften. Mainz 1993.
DELIUS, HANS-ULRICH: Augustin als Quelle Luthers: eine Materialsammlung. Berlin 1984.
GRANE, LEIF: Contra Gabrielem: Luthers Auseinandersetzung mit Gabriel Biel in der Disputation contra scholasticam theologiam 1517 / übers. von Elfriede Pump. København 1962.
JANZ, DENIS R.: Luther on Thomas Aquinas: the angelic doctor in the thought of the reformer. Stuttgart 1989.
STAMM, HEINZ-MEINOLF: Luthers Stellung zum Ordensleben. Wiesbaden 1980.
STEINMETZ, DAVID C.: Luther and Staupitz: an essay in the intellectual origins of the protestant Reformation. Durham, North Carolina 1980.

5 Beziehungen zwischen Luther und gleichzeitigen Strömungen, Gruppen, Persönlichkeiten und Ereignissen

a) Allgemein, Reformationsgeschichte

ISERLOH, ERWIN; GLAZIK, JOSEF; JEDIN, HUBERT: Reformation, Katholische Reform und Gegenreformation. Freiburg; Basel; Wien 1967. (Handbuch der Kirchengeschichte; 4)
KIRCHNER, HUBERT: Reformationsgeschichte von 1532 bis 1555 / 56: Festigung der Reformation, Calvin, Katholische Reform und Konzil von Trient. Leipzig 1988. (Kirchengeschichte in Einzeldarstellungen: Abt. 2; 6)
LINDBERG, CARTER: The European Reformations. Oxford; Cambridge, Massachusetts 1996.
LUTZ, HEINRICH: Reformation und Gegenreformation. München; Wien 1979. – 4. Aufl. / durchges. und erg. von Alfred Kohler. 1997. (Oldenbourg Grundriß der Geschichte; 10)

MAU, RUDOLF: Evangelische Bewegung und frühe Reformation 1521 bis 1532. Leipzig 2000. (Kirchengeschichte in Einzeldarstellungen: Abt. 2; 5)

DIE REFORMATION IN AUGENZEUGENBERICHTEN / hrsg. von Helmar Junghans mit einer Einl. von Franz Lau. Düsseldorf 1967. – Taschenbuchausgabe. München 1973. – Neuaufl. 1980.

SCHILLING, HEINZ: Aufbruch und Krise: Deutschland 1517–1548. Berlin 1988.

SCHULZE, WINFRIED: Deutsche Geschichte im 16. Jahrhundert: 1500–1518. Frankfurt a. M. 1987.

SPITZ, LEWIS W.: The Protestant Reformation 1517–1559. New York 1985.

VON DER REFORM ZUR REFORMATION: (1450–1530) / hrsg. von Marc Venard; deutsche Ausgabe bearb. und hrsg. von Heribert Smolinsky. Freiburg; Basel; Wien 1995. (Die Geschichte des Christentums; 7)

WOHLFEIL, RAINER: Einführung in die Geschichte der deutschen Reformation. München 1982.

DIE ZEIT DER KONFESSIONEN: (1530–1620/ 30) / hrsg. von Marc Venard; deutsche Ausgabe bearb. und hrsg. von Heribert Smolinsky. Freiburg; Basel; Wien 1992. (Die Geschichte des Christentums; 8)

b) Melanchthon und Wittenberger Freunde

HÖSS, IRMGARD: Georg Spalatin: 1484–1545; ein Leben in der Zeit des Humanismus und der Reformation. Weimar 1956. – 2., durchges. und mit einer Einleitung erw. Aufl. 1989.

JUNGHANS, HELMAR: Johann von Sachsen (1468–1532). Theol. Realenzyklopädie. Bd. 17. Berlin; New York 1988, 103–106.

–: Spalatin, Georg (1484–1545). Theol. Realenzyklopädie. Bd. 31. Berlin; New York 2000, 605–607.

LUDOLPHY, INGETRAUT: Friedrich der Weise: Kurfürst von Sachsen 1463–1525. Göttingen 1984.

LUTHER UND SEINE FREUNDE: «... damit ich nicht allein wäre.»; Justus Jonas, Lucas Cranach d. Ä., Johann Agricola, Johannes Brenz, Johannes Bugenhagen, Johannes von Staupitz / hrsg. vom Evang. Predigerseminar. Wittenberg 1998.

SCHEIBEL, HEINZ: Melanchthon: eine Biographie. München 1997.

–: Melanchthon, Philipp (1497–1560). Theol. Realenzyklopädie. Bd. 22. Berlin; New York 1992, 371–410.

SCHULZE, MANFRED: Friedrich der Weise: Politik und Reformation. In: Relationen: Studien zum Übergang vom Spätmittelalter zur Reformation / hrsg. von Athina Lexutt und Wolfgang Matz. Münster 2000, 335–355.

WARTENBERG, GÜNTHER: Johann Friedrich von Sachsen (1503–1554). Theol. Realenzyklopädie. Bd. 17. Berlin; New York 1988, 97–103.

c) Altgläubige

DIEZ, KARLHEINZ: «Ecclesia – non est civitas platonica»: Antworten katholischer Kontroverstheologen des 16. Jahrhunderts auf Martin Luthers Anfrage an die «Sichtbarkeit» der Kirche. Frankfurt am Main 1997.

FELMBERG, BERNHARD ALFRED R.: Die Ablaßtheologie Kardinal Cajetans (1469–1534). Leiden; Boston; Köln 1998.

HENDRIX, SCOTT H.: Luther and the papacy: stages in a Reformation conflict. Philadelphia 1981.

SCHULZE, MANFRED: Johannes Eck im Kampf gegen Martin Luther: mit der Schrift der Kirche wider das Buch der Ketzer. Lutherjahrbuch 63 (1996), 39–68.

VERCRUYSSE, JOS E.: Die Stellung Augustins in Jakobus Latomus' Auseinandersetzung mit Luther. In: L'Augustinisme à l'ancienne Faculté de Théologie de

Louvain / hrsg. von M. Lamberigts unter Mitarb. von L. Kenis. Leuven 1994, 7–18.

d) Humanisten

HUMANISMUS UND WITTENBERGER REFORMATION: Festgabe anläßlich des 500. Geburtstages des Praeceptor Germaniae Philipp Melanchthon am 16. Februar 1997 / hrsg. von Michael Beyer und Günther Wartenberg unter Mitw. von Hans-Peter Hasse. Leipzig 1996.

JUNGHANS, HELMAR: Der junge Luther und die Humanisten. Weimar 1984; Göttingen 1985.

KUNZE, JOHANNES: Erasmus und Luther: der Einfluß des Erasmus auf die Kommentierung des Galaterbriefes und der Psalmen durch Luther 1519–1521. Münster 2000.

e) Thomas Müntzer und Bauernkrieg

BRÄUER, SIEGFRIED: Selbstverständnis und Feindbild bei Martin Luther und Thomas Müntzer: ihre Flugschriftenkontroverse 1524. (1994). In: Ders.: Spottgedichte, Träume und Polemik in den frühen Jahren der Reformation / hrsg. von Hans-Jürgen Goertz und Eike Wolgast. Leipzig 2000, 123–153.

ELLIGER, WALTER: Thomas Müntzer: Leben und Werk. Göttingen 1975. – 3. Aufl. 1976.

MARON, GOTTFRIED: Bauernkrieg. Theol. Realenzyklopädie. Bd. 5. Berlin; New York 1980, 319–338.

SEEBASS, GOTTFRIED: Müntzer, Thomas (ca. 1490–1525). Theol. Realenzyklopädie. Bd. 23. Berlin; New York 1994, 414–436.

Der Theologe Thomas Müntzer: Untersuchungen zu seiner Entwicklung und Lehre / hrsg. von Siegfried Bräuer und Helmar Junghans. Berlin 1989.

f) «Schwärmer» und Täufer

ANDREAS BODENSTEIN VON KARLSTADT (1486–1541): ein Theologe der frühen Reformation; Beiträge eines Arbeitsgesprächs vom 24.–25. November 1995 in Wittenberg / hrsg. im Auftrag des Vorstandes der Stiftung Leucorea von Sigrid Looß und Markus Matthias. Lutherstadt Wittenberg 1998.

SEEBASS, GOTTFRIED: Die Reformation und ihre Außenseiter: gesammelte Aufsätze und Vorträge / hrsg. von Irene Dingel unter Mitarb. von Christine Kress. Göttingen 1997.

ZUR MÜHLEN, KARL-HEINZ: Luthers Tauflehre und seine Stellung zu den Täufern. (1983). In: Ders.: Reformatorisches Profil: Studien zum Weg Martin Luthers und der Reformation. Göttingen 1995, 227–258.

g) Schweizer und Oberdeutsche

BRECHT, MARTIN: Zwingli als Schüler Luthers: zu seiner theologischen Entwicklung 1518–1522. (1985). In: Ders.: Ausgewählte Aufsätze. Bd. 1: Reformation. Stuttgart 1995, 217–236.

FRIEDRICH, MARTIN: Heinrich Bullinger und die Wittenberger Konkordie: ein Ökumeniker im Streit um das Abendmahl. Zwingliana 24 (1997), 59–79.

GÄBLER, ULRICH: Huldrych Zwingli: eine Einführung in sein Leben und sein Werk. München 1983.

–: Huldrych Zwingli im 20. Jahrhundert: Forschungsbericht und annotierte Bibliographie 1897–1972. Zürich 1975.

GRESCHAT, MARTIN: Martin Bucer: ein Reformator und seine Zeit 1491–1551. München 1990.

GRÖTZINGER, Eberhard: Luther und Zwingli: die Kritik an der mittelalterlichen Lehre von der Messe als Wurzel des Abendmahlsstreites. Gütersloh 1980.

MAY, GERHARD: Marburger Religionsgespräch. Theol. Realenzyklopädie. Bd. 22. Berlin; New York 1992, 75–79.

MARTIN BUCER AND SIXTEENTH-CENTURY EUROPA: actes du colloque de Strasbourg (28–31 août 1991)/hrsg. von Christian Krieger und Marc Lienhard. 2 Bde. Leiden; New York; Köln 1993.

h) Juden

DIE JUDEN UND MARTIN LUTHER – MARTIN LUTHER UND DIE JUDEN: Geschichte, Wirkungsgeschichte, Herausforderung/hrsg. von Heinz Kremers in Zsarb. mit Leonore Siegele-Wenschkewitz und Berthold Klapper. Mit einem Geleitwort von Johannes Rau. Neukirchen-Vluyn 1985. – 2. Aufl. 1987.

JUNGHANS, HELMAR: Martin Luther und die Juden. Die Zeichen der Zeit 50 (1996), 162–169.

OBERMAN, HEIKO A.: Wurzeln des Antisemitismus: Christenangst und Judenplage im Zeitalter des Humanismus und der Reformation. Berlin 1981. – 2. Aufl. 1987.

SCHWARZ, REINHARD: Luther und die Juden im Lichte der Messiasfrage. Luther 69 (1998), 67–81.

i) Künstler und Kunst

LUTHER UND DIE FOLGEN FÜR DIE KUNST / hrsg. von Werner Hofmann [Katalog der Ausstellung vom 11. November 1983 bis 8. Januar 1984 in der Hamburger Kunsthalle]. München 1983.

MARTIN, PETER: Martin Luther und die Bilder der Apokalypse: die Ikonographie der Illustrationen zur Offenbarung des Johannes in der Lutherbibel 1522 bis 1546. Hamburg 1983.

STIRM, MARGARETE: Die Bilderfrage in der Reformation. Gütersloh 1977.

6 Luthers Wirkung auf spätere Strömungen, Gruppen, Persönlichkeiten und Ereignisse

a) Allgemein

BORNKAMM, HEINRICH: Luther im Spiegel der deutschen Geistesgeschichte: mit ausgewählten Texten von Lessing bis zur Gegenwart. Göttingen 1955. – 2., neu bearb. und erw. Auflage. 1970.

MOSTERT, WALTER: Luther, Martin (1483–1546) III: Wirkungsgeschichte. Theol. Realenzyklopädie. Bd. 21. Berlin; New York 1991, 567–594.

RATSCHOW, CARL HEINZ: Lutherische Dogmatik zwischen Reformation und Aufklärung. 2 Teile. Gütersloh 1964, 1966.

ZEEDEN, ERNST WALTER: Martin Luther und die Reformation im Urteil des deutschen Luthertums: Studien zum Selbstverständnis des lutherischen Protestantismus von Luthers Tod bis zum Beginn der Goethezeit. 2 Bde. Freiburg i. Br. 1950, 1952.

b) Orthodoxie und Gegenreformation

ARNDT, JOACHIM: Das Leben und Wirken von Johann Arndt: der Reformator der Reformation (1555–1561). Bielefeld 1998.

BAUR, JÖRG: Luther und seine klassischen Erben: theologische Forschungen und Aufsätze. Tübingen 1993.

HAGGMARK, STEVEN A.: Luther and Boehme: investigations of an unified metaphysic for Lutheran theological discourse. Ann Arbor, MI 1993.

KOLB, ROBERT: Luther's heirs define his legacy: studies on Lutheran confessionalization. Aldershort, Hampshire; Brookfield, Vermont 1996.

SCHNEIDER, HANS: Johann Arndt als Lutheraner?: In: Die luth. Konfessionalisierung in Deutschland: wissenschaftliches Symposion des Vereins für Reformationsgeschichte 1988/hrsg. von Hans-Christoph Rublack. Gütersloh 1992, 274–298.

SOMMER, WOLFGANG: Luther – Prophet der Deutschen und der Endzeit: zur Aufnahme der Prophezeiungen Luthers in der Theologie des älteren deutschen Luthertums. (1997). In: Ders.: Politik, Theologie und Frömmigkeit im Luthertum der Frühen Neuzeit: ausgewählte Aufsätze. Göttingen 1999.

STEIGER, JOHANN ANSELM: Johann Gerhard (1582–1637): Studien zur Theologie und Frömmigkeit des Kirchenvaters der lutherischen Orthodoxie. Stuttgart-Bad Cannstatt 1997.

c) Pietismus und Aufklärung

JUNGHANS, REINHARD: Herders Auslegung von Luthers Kleinem Katechismus. In: Sein ist im Werden: Essays zur Wirklichkeitskultur bei Johann Gottfried Herder anläßlich seines 250. Geburtstages/hrsg. von Wilhelm-Ludwig Federlin. Frankfurt am Main; Bern; New York ... 1995, 123–152.

LIENHARD, MARC: Freiheit in der Sicht Luthers und der Französischen Revolution. Lutherjahrbuch 62 (1995), 152–166.

MÜLLER, GOTTHOLD: Der junge Goethe über Luther und die Reformation. Lutherjahrbuch 56 (1989), 130–145.

OBST, MARTIN: Herder und Luther. In: Luther – zwischen den Zeiten/hrsg. von Christoph Markschies und Michael Trowitzsch. Tübingen 1999, 119–137.

SCHWARZ, REINHARD: Der Satz «Ich bin Christus» im Kontext der Unio mystica: die Rezeption eines Luther-Textes durch Philipp Jakob Spener. Pietismus und Neuzeit 21 (1995), 84–103.

SEILS, MARTIN: Hamann und Luther. In: Luther – zwischen den Zeiten/hrsg. von Christoph Markschies und Michael Trowitzsch. Tübingen 1999, 159–184.

ZUR MÜHLEN, KARL-HEINZ: Die von Luther herkommende Komponente der Aufklärung in Deutschland. In: Aufklärung und Haskala: in jüdischer und nichtjüdischer Sicht/hrsg. von Karlfried Gründer und Nathan Rotenstreich. Heidelberg 1990, 23–41.

d) 19. und 20. Jahrhundert bis 1917

ALAND, KURT: Martin Luther in der modernen Literatur: ein kritischer Dokumentarbericht. Berlin 1973.

ASENDORF, ULRICH: Luther und Hegel: Untersuchungen zur Grundlegung einer neuen systematischen Theologie. Wiesbaden 1982.

BROSSEDER, JOHANNES: Luthers Stellung zu den Juden im Spiegel seiner Interpreten: Interpretation und Rezeption von Luthers Schriften und Äußerungen zum Judentum im 19. und 20. Jahrhundert, vor allem im deutschsprachigen Raum. München 1972.

BRUNVOLL, ARVE: «Gott ist Mensch»: die Luther-Rezeption Friedrich Feuerbachs und die Entwicklung seiner Religionskritik. Frankfurt am Main; Berlin; Bern ... 1996.

«ER FÜHLT DER ZEITEN UNGEHEUREN BRUCH UND FEST UMKLAMMERT ER SEIN BIBELBUCH ...»: zum Lutherkult im 19. Jahrhundert/hrsg. von Hardy Eidam und Gerhard Seib. Berlin 1996.

FRIEDRICH, MARTIN: Das Wormser Lutherfest von 1868. Zeitschrift für Theologie und Kirche 96 (1999), 384–404.

HOFMANN, FRANK: Albrecht Ritschls Lutherrezeption. Gütersloh 1998.

LEHMANN, HARTMUT: Max Webers Lutherinterpretation. (1995). In: Ders.: Max Webers «Protestantische Ethik»: Beiträge aus der Sicht eines Historikers. Göttingen 1996, 30–41. 131–135.

LUTHER-GEDENKEN 1996: Informationen und Veranstaltungen aus Kirchen und Gemeinden von Wittenberg bis Eisenach/hrsg. im Auftrag der Evang. Kirche der Kirchenprovinz Sachsen und der Evang.-Luth. Kirche in Thüringen von der Presse- und Öffentlichkeitsarbeit der Kirchenprovinz Sachsen. [1996].

MARON, GOTTFRIED: Luther 1917: Beobachtungen zur Literatur des 400. Reformationsjubiläums. (1982). In: Ders.: Die ganze Christenheit auf Erden: Martin Luther und seine ökumenische Bedeutung/hrsg. von Gerhard Müller und Gottfried Seebaß. Stuttgart 1993, 209–257.

OST, WERNER: Das Bild Luthers und der Reformation bei Wilhelm Löhe (1808–1872). Luther 68 (1997), 127–143.

PLATHOW, MICHAEL: Das Bild Martin Luthers und des Protestantismus bei Johann Wolfgang von Goethe. Luther 69 (1998), 124–139.

RIESKE-BRAUN, UWE: Zwei-Reiche-Lehre und christlicher Staat: Verhältnisbestimmung von Religion und Politik im Erlanger Neuluthertum und in der Allgemeinen Ev.-Luth. Kirchenzeitung. Göttingen 1993.

WINTER, FRIEDRICH WILHELM: Die Erlanger Theologie und die Lutherforschung im 19. Jahrhundert. Gütersloh 1995.

e) 1918–1996

ASSEL, HEINRICH: Der andere Aufbruch: die Lutherrenaissance; Ursprünge, Aporien und Wege: Karl Holl, Emanuel Hirsch, Rudolf Hermann (1910–1935). Göttingen 1994.

BILANZ DES LUTHERJUBILÄUMS / mit Beiträgen von Wolf-Dieter Hauschild, Jürgen Jeziorowski, Otto Kammer ... Kirchliches Jahrbuch 110 (1985), 1–214.

BONHOEFFER UND LUTHER: zur Sozialgestalt des Luthertums in der Moderne/hrsg. von Christian Gremmels. München 1983.

DÜFEL, HANS: Voraussetzungen, Gründung und Anfang der Luther-Gesellschaft: Lutherrezeption zwischen Aufklärung und Idealismus. Lutherjahrbuch 60 (1993), 72–117.

–: Luther-Gesellschaft und Lutherrenaissance: die Tagungen der Luther-Gesellschaft von 1925 bis 1935. Lutherjahrbuch 64 (1997), 47–86.

–: Die Luther-Gesellschaft von 1936 bis 1948. Lutherjahrbuch 67 (2000), 61–94.

GOTT ÜBER ALLE DINGE: Begegnungen mit Martin Luther 1983 / hrsg. im Auftrag des Lutherkomitees der Evang. Kirchen in der DDR von Helmut Zeddies und Rolf-Dieter Günther. Berlin 1984.

LEHREN AUS DEM LUTHER-JAHR: sein Ertrag für die Ökumene/hrsg. von Otto Hermann Pesch. München; Zürich 1984.

LUTHER 83: eine kritische Bilanz/hrsg. von Claus-Jürgen Roepke. München 1984.

OELKE, HARRY: Hanns Lilje: ein Lutheraner in der Weimarer Republik und im Kirchenkampf. Stuttgart 1999.

Roy, Martin: Luther in der DDR: zum Wandel des Lutherbildes in der DDR-Geschichtsschreibung. Bochum 2000.

Sturm, Erdmann: «... daß wir die verlorene Grenze zwischen Gott und Mensch wiederfinden»: Hans Joachim Iwands Arbeiten über Luthers Theologie in seiner Dortmunder Zeit (1937–1945). In: Aus dem Land der Synoden: Festgabe für Wilhelm Heinrich Neuser zum 70. Geburtstag / hrsg. von Jürgen Kampmann. Lübbecke 1996, 261–297.

Trowitzsch, Michael: Luther und Bonhoeffer: zugleich: eine Meditation über das Mittleramt Jesu Christi. In: Luther – zwischen den Zeiten / hrsg. von Christoph Markschies und Michael Trowitzsch. Tübingen 1999, 185–206.

Zur Bilanz des Lutherjahres / hrsg. von Peter Manns. Stuttgart 1986.

Zur Mühlen, Karl-Heinz: Reformatorische Vernunftkritik und neuzeitliches Denken: dargestellt am Werk M. Luthers und Fr. Gogartens. Tübingen 1980.

7 Luthers Gestalt und Lehre in der Gegenwart

Altmann, Walter: Luther and liberation: a Latin American perspective (Confrontacion y liberacion ‹engl.›) / übers. von Mary M. Solberg. Minneapolis, MN 1992.

Brandt, Reinhard: Luthers Einsicht in «De servo arbitrio» und ihre Bedeutung für die Theologie heute. Luth. Kirche in der Welt 45 (1998), 47–78.

Dalferth, Silfredo Bernardo: Die Zweireichelehre Martin Luthers im Dialog mit der Befreiungstheologie Leonardo Boffs. Frankfurt am Main; Berlin; Bern ... 1996.

Evangelisch-Lutherische Kirche in Brasilien: Nachfolge Jesu – Wege der Befreiung / Institut für Brasilienkunde; hrsg. von Ulrich Schönborn. Mettingen 1989.

Hirschler, Horst: Luther ist uns weit voraus. Luth. Kirche in der Welt 42 (1995), 93–112.

Lohse, Bernhard: Glaube und Trost: Luthers Botschaft an die Trostlosen unserer Tage. Luther 88 (1997), 111–126.

Luthers Bild in Luthers Land: eine Fragebogenerhebung bei Schülerinnen und Schülern in Sachsen-Anhalt. Magdeburg 1998.

Reformationstag – evangelisch und ökumenisch: eine Arbeitshilfe für Gemeinde und Schule / hrsg. von Reiner Marquard. Göttingen 1997.

Vonhoff, Heinz: Erfahrungen mit Luther: aus der Sicht eines Schriftstellers und Pädagogen. Luther 65 (1994), 34–44.

C FORSCHUNGSBERICHTE, BIBLIOGRAPHIEN

Gestrich, Christof: Das ökumenische Urteil über Melanchthons und Luthers Theologie in neuerer und neuester Zeit. In: Philipp Melanchthon und seine Rezeption in Skandinavien: Vorträge eines internationalen Symposions anläßlich seines 500. Jahrestages an der Königlichen Akademie ... in Stockholm, den 9.–10. Oktober 1997 / hrsg. von Birgit Stolt. Stockholm 1998, 153–162.

Hendrix, Scott H.: Martin Luther und die lutherischen Bekenntnisschriften in der englischsprachigen Forschung seit 1983. Lutherjahrbuch 68 (2001), 115–136.

Junghans, Helmar: Lutherbiographien zum 500. Geburtstag des Reformators 1983. Theol. Literaturzeitung 111 (1985), 491–514.

–: Das Luthergedenken 1996. Lutherjahrbuch 65 (1998), 109–178.

LUTHER IN FINNLAND: der Einfluß der Theologie Martin Luthers in Finnland und finnische Beiträge zur Lutherforschung / hrsg. von Miikka Ruokanen. Helsinki 1984. – 2., durchges. Aufl. 1986.

MÜLLER, GERHARD: Ein Vierteljahrhundert Luther-Forschung. Theol. Rundschau 57 (1992), 337–391.

WOLF, GERHARD PHILIPP: Das neue französische Lutherbild. Wiesbaden 1974.

WOLF, HERBERT: Germanistische Luther-Bibliographie: Martin Luthers deutsches Sprachschaffen im Spiegel des internationalen Schrifttums der Jahre 1880–1980. Heidelberg 1985.

ZUR MÜHLEN, KARL-HEINZ: Die Erforschung des «jungen Luther» seit 1876. Lutherjahrbuch 50 (1983), 48–125.

–: Das Lutherjahr 1983 und die Lutherforschung. Verkündigung und Forschung 34 (1989) Heft 2, 2–23.

NAMENREGISTER

Die kursiv gesetzten Zahlen bezeichnen die Abbildungen

ÜBER DEN AUTOR

Hanns (Johannes) Lilje, geb. 1899 in Hannover, war einer der bekanntesten Vertreter des Luthertums in Deutschland und im Ausland. Von 1947–1971 amtierte er als Bischof der evangelisch-lutherischen Landeskirche von Hannover. Als Mitglied des Zentral- (ab 1948) und des Exekutivkomitees (ab 1961) des Weltrats der Kirchen förderte er die weltweite Zusammenarbeit der Kirchen. 1952 gründete er die Evangelische Akademie Loccum. Hanns Lilje starb 1977 in Hannover.

QUELLENNACHWEIS DER ABBILDUNGEN

rowohlts monographien

Religion und Theologie

Albert Schweitzer
Harald Steffahn
3-499-50263-1

Dietrich Bonhoeffer
Eberhard Bethge
3-499-50684-X

Buddha
Volker Zotz
3-499-50477-4

Franz von Assisi
Veit-Jakobus Dieterich
3-499-50542-8

Jesus
David Flusser
3-499-50632-7

Maria
Alan Posener
3-499-50621-1

Martin Luther
Hanns Lilje
3-499-50098-1

Meister Eckhart
Gerhard Wehr
3-499-50376-X

Die Reformatoren
Veit-Jakobus Dieterich
3-499-50615-7
Jeder Reformator steht für eine Phase der rasanten Entwicklung zur Neuzeit. Ihre Lehren waren Ausdruck einer Endzeit, ihr Wirken legte das Fundament einer neuen Epoche.

3-499-50615-7

Weitere Informationen in der Rowohlt Revue oder unter www.rororo.de

Foto: Gisèle Freund

rowohlts monographien

Große Denker

Aristoteles
J.-M. Zemb
3-499-50063-9

Platon
Uwe Neumann
3-499-50533-9

Seneca
Marion Giebel
3-499-50575-4

Sokrates
Gottfried Martin
3-499-50128-7

Karl Marx
Werner Blumenberg
3-499-50076-0

C. G. Jung
Gerhard Wehr
3-499-50152-X

Sigmund Freud
Hans-Martin Lohmann
3-499-50693-9

Martin Heidegger
Manfred Geier
3-499-50665-3

Karl Popper
Manfred Geier
3-499-50468-5

Jean-Paul Sartre
Christa Hackenesch
3-499-50629-7

Friedrich Nietzsche
Ivo Frenzel

3-499-50634-3

Weitere Informationen in der Rowohlt Revue oder unter www.rororo.de

Ölgemälde: Joseph Karl Stieler

rowohlts monographien

Dichter und Literaten

rowohlts monographien, herausgegeben von Wolfgang Müller und Uwe Naumann

Ingeborg Bachmann
Hans Höller
3-499-50545-2

Daniel Defoe
Wolfgang Riehle
3-499-50596-7

Friedrich Dürrenmatt
Heinrich Goertz
3-499-50380-8

Die Familie Mann
Hans Wißkirchen
3-499-50630-0

Johann Wolfgang von Goethe
Peter Boerner
3-499-50577-0

Günter Grass
Heinrich Vormweg
3-499-50559-2

Franz Kafka
Klaus Wagenbach
3-499-50649-1

Gotthold Ephraim Lessing
Wolfgang Drews
3-499-50075-2

William Shakespeare
Alan Posener
3-499-50641-6

Georg Büchner
Jan-Christoph Hauschild

3-499-50670-X

Gemälde: Elias Gottlob Haußmann

S 21/2

rowohlts monographien

Musik und Kunst

Die Bach-Söhne
Martin Geck
3-499-50654-8

Georg Friedrich Händel
Michael Heinemann
3-499-50648-3

Wolfgang Amadeus Mozart
Fritz Hennenberg
3-499-50523-1

Ludwig van Beethoven
Martin Geck
3-499-50645-9

Richard Wagner
Martin Geck
3-499-50661-0

Michelangelo
Daniel Kupper
3-499-50657-2

Vincent van Gogh
Stefan Koldehoff
3-499-50620-3

Paul Klee
Carola Giedeon-Welcker
3-499-50052-3

Pablo Picasso
Wilfried Wiegand
3-499-50205-4

Frieda Kahlo
Linde Salber
3-499-50534-7

Salvador Dalí
Linde Salber

3-499-50579-7

Weitere Informationen in der Rowohlt Revue oder unter www.rororo.de